VOULEZ-VOUS PARTAGER
MA MAISON ?

Tous les livres cités sont également publiés au Livre de Poche, excepté les romans des éditions Robert Laffont, publiés chez Pocket.

Janine Boissard

Voulez-vous partager ma maison ?

roman

Fayard

Illustration : © Getty.
Couverture : Sébastien Cerdelli

ISBN : 978-2-213-68682-0
© Librairie Arthème Fayard, 2016.

À Claude Durand, mon éditeur et ami,
le tout premier à qui j'avais parlé
de cette histoire, et qui m'avait dit
de la voix que tous ses auteurs
connaissaient si bien : « Janine, allez-y. »

PREMIÈRE PARTIE

VOULEZ-VOUS PARTAGER MA MAISON ?

1

Bon, bien, vous au moins vous en conveniez ! Pas de petits cris effarouchés, de regards sainte-nitouche, de joues chauffées à blanc par la honte comme certaines. Oui, longtemps, vous aviez rêvé d'épouser votre père, le plus beau, le plus grand, le plus fier des hommes avec sa moustache et ses bottes de gendarme. Pas tant pour vous sentir protégée de tous ceux qui voulaient s'attaquer à votre vertu, s'emparer de votre innocence, vous voler vos jeunes années, que pour être suivie, vous princesse de sang, vous l'élue, par les regards envieux de la population angevine lorsqu'il vous emmenait, votre main dans sa battoire, acheter le pain frais à « L'Épi d'or », même si le port de l'uniforme était interdit hors service. L'uniforme, Francis le Gallois le portait dans la voix et dans le regard.

« Et France, ta mère, tu en faisais quoi, Line ? Ça ne te posait pas un petit problème de lui prendre son mari ? »

Aucun, puisqu'elle était dans le coup ! Toutes les indulgences pour la « tardillonne », fille arrivée alors qu'on ne l'espérait plus, après deux solides garçons. Il n'était que de l'entendre rire avec sa gorge quand elle vous découvrait, juchée sur le tabouret, chapardant son parfum, colorant vos lèvres ou allongeant vos cils. Et cette fois où elle vous avait surprise, vous pavanant avec l'un de ses soutiens-gorge bourré de coton. « Toi, tu t'apprêtes encore à séduire ton père, coquine ! » Et ça ne vous empêchait pas de l'aimer ; au besoin, vous la garderiez.

C'est bien souvent les parents qui assassinent les rêves de leurs enfants sans même s'en apercevoir. Le vôtre avait volé en éclats ce matin où, tandis qu'il payait la baguette, la boulangère s'était exclamée en vous désignant : « Mon dieu, Colonel, votre Linette comme elle grandit ! Une vraie petite femme. » Et alors que vous vous rengorgiez, oui, une femme, SA femme, il avait éclaté de rire : « N'est-ce pas ! Elle s'apprête à briser les cœurs, il faudra vite lui trouver un mari. » Comme si le mari n'était pas tout trouvé. Et quand, au sortir de la boutique, vous aviez lâché sa main pour courir pleurer dans votre chambre, il n'avait pas compris.

C'est ainsi que faute de lui, faute de mieux, vous aviez dit « oui », à 18 ans, à Augustin Peraldi, dix ans de plus que vous, maréchal des logis-chef à la gendarmerie nationale d'Angers, natif de l'île de Beauté, conduite à l'autel par votre premier amour, heureux et ému, et qui vous confia dans le creux de l'oreille en vous faisant danser après le repas de noces, être un peu jaloux de vous voir « kidnappée » par un collègue. Faudrait savoir !

Augustin était votre premier. Tout juste quelques baisers grappillés çà et là pour voir. Lui, avait vu en roulant sa bosse de l'une à l'autre avant de vous jurer fidélité. Vous veniez d'obtenir votre bac. Pas la moindre idée de ce que vous vouliez faire. Ça tombait bien, votre militaire en avait pour deux. Il serait votre sécurité, votre guide, le gardien de vos jours. Vous seriez le grillon du foyer, le repos du guerrier, la mère de ses nombreux enfants.

Ainsi, joignant l'action à la parole, avait-il mis le premier en route dès votre voyage de noces à Saint-Florent, en Corse, où, entre deux assauts qui vous laissaient tout étourdie, il vous avait présenté à des femmes en noir et à des hommes aux visages sombres et fiers, qui vous avaient fait un peu peur.

Vous étiez du genre « petit modèle » : 1,65 mètre, 56 kilos. Lui, 1,89 mètre, 90 kilos. Résultat, le fruit de vos amours, Colomba, huit livres, se refusa à sortir par les voies naturelles et une césarienne fut pratiquée. Augustin n'étant pas le genre à se mêler du petit bazar féminin, dix-huit mois plus tard, Thomas s'annonçait, neuf livres, qui manqua vous prendre la vie. En vous retirant le nécessaire pour la donner à nouveau, le chirurgien mit fin aux plans de famille nombreuse de votre militaire. Bien que déçu, il vous pardonna.

Vingt et un ans, deux enfants, une grand-mère pour les garder, certaines voix s'élevaient pour vous conseiller de chercher du travail, afin, disaient-elles, de vous « réaliser », à la fureur noire de celui qui se jugeait suffisant à l'ouvrage. Et puis quel travail ? Vous n'aviez aucun diplôme. « Au moins, reprends tes études, Line », insistaient les voix amies. Quelles études ? Vous n'aviez jamais brillé qu'en français, matière sinistrée. Alors, vous vous étiez réalisée en permettant à vos enfants d'en faire, guidés, protégés autant qu'il le fallait dans la chaleur d'un foyer uni.

Pari tenu. Tandis que, sans doute pour se distinguer d'une mère ignare en la matière, Colomba se lançait avec succès dans l'informatique, Thomas, diplômé d'une école de commerce, fondait, sur l'île de Beauté, au bonheur de son père, une petite entreprise d'exploitation de miel.

Entre-temps, à votre gros chagrin de « tardillonne », Francis le Gallois s'en était allé, suivi de près par France. Et depuis vous ne pouviez plus entendre chantez *La Marseillaise* sans pleurer.

Certains sont incapables d'imaginer le monde sans eux, leur femme sans eux. Votre Augustin était de ceux-là. À sa décharge, contrairement à vous, lui une force de la nature. Et pratiquant tout avec modération, sauf l'amour de son métier, gage de longévité.

Les années passant, ses cheveux blanchissant, devenu officier, il lui arrivait de vous dire avec une infinie tendresse, penché sur votre poids plume : « Quand l'un de nous deux sera mort, ma Linette, j'irai m'installer aux "Hirondelles". » Maison de retraite dans sa ville natale, réservée aux anciens militaires, où, à l'ombre des peupliers, entre deux parties de dominos, ils regardaient défiler les continentaux en se racontant leurs anciens combats.

Comment aurait-il pu imaginer, lui qui s'était si ardemment consacré à la sécurité routière, qu'à 64 ans sa vie serait fauchée par un gamin alcoolisé sans permis ? Et qu'il vous laisserait, seule et désarmée, dans un monde dont il s'était si bien appliqué à vous protéger que vous en ignoriez tout.

2

De la famille bien connue des *Fagaceae*, le châtaignier, orgueil de la culture corse, affectionne les terrains en moyenne altitude. Coupé à la pleine lune en novembre ou décembre, alors qu'il s'endort pour l'hiver, son bois, insecticide, imputrescible, pourra affronter toutes les épreuves. Et s'il résiste à la « roulure », son principal ennemi qui l'attaque de l'intérieur, il pourra vivre jusqu'à cent ans. À noter que son fruit, la châtaigne, est appelé le « castagnu » (prononcez « ou »), sport allégrement pratiqué sur l'île de Beauté.

Bref, en hommage à l'arbre qui avait accompagné son enfance, Augustin avait meublé tout le rez-de-chaussée de L'Escale, notre maison aux portes d'Angers, de son beau bois brun-roux : table, étagères, vaisselier, en faisant une aimable « châtaigneraie ».

*

Et, en ce jour de fin janvier, ma chère fille, Colomba, y débarque avec armes et bagages : tablette, smartphone et ordinateur.

– Pardon, mamounette, mais il faut qu'on parle. C'est pas avec ce que papa a laissé sur son compte en banque, ni avec la pension qui te sera versée dans cent sept ans, que tu pourras payer les droits de succession. Le problème est simple : est-ce que tu tiens à garder la baraque ? Faut te décider. Assez traîné comme ça.

Traîné ? Alors que je viens tout juste de rentrer de Corse où mon mari a été enterré dans le caveau familial, au son des chœurs virils bien connus, à la suite de quoi j'ai passé quelques jours chez mon fils Thomas ? À peine ai-je commencé à trier ses affaires : « à jeter », « à donner », « à conserver »… Et traiter de « baraque » la jolie maison avec jardin où nous avons passé tant de belles années, elle y va fort quand même ! Bien sûr que je tiens à la garder, j'ai mes raisons.

– Dans ce cas, une seule solution : le co-living.

– Le co quoi ?

– « Co » comme « ensemble ». « Live » comme « vivre ». « Co-living » comme « partage de vie ».

Cette manie qu'ont les jeunes de tout compliquer !

– Une coloc en somme.

– Rien à voir, oublie ! Un super mouvement parti de Californie qui se répand à vitesse grand V. Chez nous où le marché du logement est plombé par ceux qui veulent encadrer la pierre et où le burn-out règne, la formule d'avenir : tuerie assurée.

On ne peut pas dire que le vocabulaire de ma fille manque de relief. Traduction : « burn-out » : brûlé par le stress. « Tuerie », le top du top, plus beau tu meurs. Suffit de savoir.

— P'tite leçon pratique ?

Sur la table de châtaignier, ma « consultante en informatique » (que les grandes entreprises angevines s'arrachent) ouvre son ordinateur, clique, claque, pianote, navigue. Et voilà qu'apparaît L'Escale, toute fière en son jardin. Et, dans la foulée, la vaste « châtaigneraie » où nous nous trouvons céans, puis l'escalier, les trois chambres au premier, la mienne entre celles, désormais inoccupées, de Thomas et Colomba, ô souvenirs ! Ô magie du net ! Comme ma fille a eu raison d'emprunter cette voie !

— Trois chambres, trois hôtes, explique-t-elle. En commun : salle de bains, living, cuisine, machines ménagères et, bien sûr, le jardin. Quelque chose va pas, maman ?

Je désigne d'un doigt tremblant la chambre matrimoniale, ma peluche sur l'oreiller, mon pêle-mêle de photos, mes livres, ma coiffeuse, brosse et peigne en écaille.

— Tu as bien dit TROIS chambres ? Et moi, où je vais ?

— Dans le foutoir. Pardon, le bureau de papa…

Mais si, le « foutoir » ! C'est bien comme ça qu'il appelait la pièce sombre et humide, près de la buanderie, où, à quelques mètres de nous, il entreposait tout ce qu'il ne se résignait pas à jeter. Assume. Parfait pour sa femme, dis-le.

— Eh, oh, du calme. On te l'arrangera. Il y a déjà le fauteuil-lit (dur comme de la pierre). Et de toute façon, on n'en est pas là. J'ai le droit de continuer ?

Clac, chambres effacées, facile ! Retour au living, au « co-living ».

– À la fois chacun chez soi et le partage de moments privilégiés. Des repas préparés par l'un ou l'autre, rassemblant toute la maisonnée dans une joyeuse cohabitation. Un film ou une émission regardés ensemble à la télé. « Ensemble », le maître mot ! Et, pourquoi pas, la venue d'un conférencier. Tu me suis, là ?

J'émets un faible « oui ». Ma chambre, ma chère chambre…

– Bien sûr, ça exige de choisir ses hôtes – appelons-les aussi des amis, des partenaires, des résidents, partageant de mêmes goûts, ayant des intérêts communs. Bien éduqués, à la fois présents et discrets. Et rassure-toi, pour être retenus, les candidats doivent remplir des conditions drastiques : ni conjoints, ni enfants, ni animaux domestiques, fumeurs exclus. Ça t'écrème déjà pas mal de monde.

Tandis que je tente de calculer ce qui reste après écrémage, ma fille revient à l'image première : L'Escale en son jardin.

– Franchement, maman, tu t'imagines vraiment vivre seule ici ?

Très bien ! Royalement ! Comme si je n'en avais pas pris l'habitude avec un mari militaire fidèle à sa devise : « Pour la Patrie, l'Honneur, le Droit », oubliant, dans son ardeur à servir, sa grillonne du foyer qui, d'ailleurs ne s'en plaignait pas.

– Tu sais, ma chérie, la solitude a ses vertus. À ne pas confondre avec « isolement ». Et j'ai la faiblesse de ne jamais m'ennuyer.

– Mais qui te parle d'ennui ? Au contraire, là tu vas t'éclater.

Vais-je briser son enthousiasme ? Abîmer l'image du père ? Et n'est-ce pas moi qui, après un passage navrant chez le notaire qui n'avait parlé, dans le sabir des oiseaux de nuit, que du compte électrocardiogramme plat de mon Augustin et de la machine infernale des impôts, avais supplié Colomba de s'occuper de mes finances, n'ayant jamais eu à gérer que les sommes microscopiques octroyées par mon militaire pour la marche de la maison ? Sauvée à maintes reprises par l'assurance vie (chut !) souscrite à mon nom par un père qui, lui, avait intégré qu'il partirait avant moi.

Transmission de pensée ? Voilà que ma fille me rassure.

— Côté nerf de la guerre, sache que tu n'auras plus à t'en faire. Le co-living n'a rien à voir avec le « couchsurfing » où tu partages avec n'importe qui un matelas pneumatique pour trois sous. Là, tu ne t'adresses qu'à des personnes qui ont un vrai boulot, des revenus réguliers, des arrières confortables. Du solide, du carré. Fini la galère, mamounette.

Sur ce cri d'amour, ma fille referme son ordinateur, rend vie à son smartphone et à sa tablette qui couinent leur frustration de s'être vu clouer le bec.

— D'accord pour faire paraître l'annonce demain ?

— DEMAIN ? Ça veut dire la venue des… résidents quand ?

Combien de temps encore ma chambre, ma chère chambre ?

— Ne sois pas si pressée, rigole ma fille. Bientôt février. On vise le printemps : mars-avril.

L'époque où j'y suis le mieux, fenêtre ouverte sur les bourgeons.

Ma consultante se lève.

– Pour l'annonce, j'ai trouvé une accroche d'enfer : « Voulez-vous partager ma maison ? » T'en penses ?

3

La *tenture de l'Apocalypse* est, sans conteste, le joyau du château-forteresse d'Angers, édifié par Blanche de Castille, mère du futur Saint Louis.

Longue de plus de cent mètres, inspirée des visions de saint Jean, cette œuvre unique illustre, entre deux tableaux angéliques, les divers fléaux qui s'abattirent sur notre pays durant la guerre de Cent Ans : carnages, famines, épidémies. Le film d'horreur n'ayant jamais été aussi prisé qu'aujourd'hui, engendré par un principe de précaution qui nous prive de tout frisson, nombreux sont les visiteurs qui viennent se repaître du trésor. La pénombre qui règne dans les lieux renvoie mystérieusement chacun à ses propres terreurs, ses angoisses, voire ses fantasmes. Mais n'est-ce pas là, la beauté du travail de l'artiste ? Qu'en nous livrant son univers il éclaire le nôtre ? Frédéric Chopin ne berce-t-il pas nos chagrins avec ses « Nocturnes » ? Tandis qu'un opéra de Richard Wagner nous renvoie à notre violence cachée. Sans parler bien sûr d'un polar bien troussé qui fait vibrer en nous les ondes délicieusement troubles de l'infime distance qui sépare le juge de l'assassin.

Bref. Fervente admiratrice de cette tapisserie, comment ne vous étiez-vous pas doutée que l'idée-tuerie de votre fille chérie allait donner à votre vie, jusque-là épargnée, un parfum d'apocalypse ?

*

Celle qui l'a flairé vite fait, c'est bien sûr Alma, votre amie d'enfance ! « Amie de cœur », disent certains un peu vite ; bon dos, le cœur ! Comme si tout le monde ne savait pas que l'on n'agit jamais qu'en fonction de son propre plaisir. Voyez le sourire radieux des dames de charité, exposées à la reconnaissance des pauvres. Voyez la poitrine qui palpite de triomphe de celui qui, sous les applaudissements, tend l'autre joue. Et, plus près de nous, observez le macho, déployant ses épaules alors qu'il daigne prêter attention à sa faible femme. Là, du côté des moustaches frisées, vous aviez été bien servie.

Serviteur de l'État, le père d'Alma était sorti de l'ENA, ce qui lui conférait, imaginait-elle, une supériorité sur le vôtre. Comme si passer des lustres entre des murs poussiéreux à éplucher des dossiers, manier des chiffres, se gonfler de culture, sans jamais se frotter à la réalité, était gage d'efficacité. Après trois présidents de la République, plus sept Premiers ministres et pléthore de préfets énarques, on voit la catastrophe pour le pays !

Alors que votre père, après seulement douze mois de formation à l'École de la gendarmerie de Châteaulin, avait été apte à exercer les plus délicates missions, dont celle de protéger de la piétaille ces messieurs les surdiplômés, prônant imprudemment une illusoire fraternité du haut de leur citadelle, ignorant tout de la vie des tranchées.

Et, bien entendu, ce n'était pas la pauvre Alma qui aurait songé à épouser le sien et pour cause ! Épaules étroites, torse creux, jambes gringalettes, lèvres papier à cigarettes, lunettes.

Ce qui ne l'avait pas empêchée, bien qu'âgée de seulement trois mois de plus que vous, de s'arroger le titre de grande sœur, guide, modèle. Ainsi, de la maternelle au lycée, lui aviez-vous fourni une source inépuisable de plaisirs.

Contrairement à vous, elle n'a rien d'une gorette (femelle du goret : « tu manges comme un goret »). Jamais de taches sur son chemisier en dégustant son cornet de glace-3 boules-chantilly. Des genoux lisses et non couronnés, à longueur d'année, par des chutes dues à des nœuds de lacets bâclés. Des cheveux mi-longs retenus par des barrettes et non en rideau devant les yeux. Gourmette d'or fin marquée à son nom au poignet et non vingt bracelets de tissu sans valeur. Médaille de la Vierge au cou.

Côté bulletins scolaires, Alma, petit vol régulier au-dessus de la moyenne en toutes les matières, alors que vous faisiez du deltaplane en français, lecture, dictée et rédaction et vous cassiez la figure dès qu'apparaissaient à l'horizon une date ou un chiffre. Ce que confirma le bac, obtenu par votre amie avec mention « bien » tandis que dans les sueurs froides, vous passiez de justesse l'oral de rattrapage, applaudie par Francis le Gallois, ému aux larmes, qui fit sauter pour vous le bouchon d'une bouteille d'excellent champagne et vous offrit la première et unique cuite de votre vie.

Quelques mois plus tard, lorsque vous aviez annoncé à Alma, inscrite dans une école d'« assistante de direction » – assister toujours, diriger jamais (sauf vous) –, vos fiançailles avec le maréchal de logis-chef Augustin Peraldi, elle avait poussé les hauts cris.

– Tu es complètement folle, Linette. Ne te marie pas sur un coup de tête (de linotte). Et en plus, un Corse (île de bandits). Réfléchis, je t'en supplie. Prends du champ.

Le champ, vous aviez espéré que ce serait elle qui le prendrait en lui demandant perfidement d'être votre témoin, l'obligeant à signer sur le registre de la catastrophe annoncée. C'était mal la connaître.

– Surtout, pas de bébé tout de suite, Line. Les protections, ça existe (pour vous, la fervente catholique reniait ses principes). Mets-toi d'abord un métier dans les mains (réalisant votre erreur, vous divorcez).

Réponse : Colomba, conçue dès votre nuit de noces. Ne parlons pas du bonus : Thomas, vous faisant frôler la mort.

Depuis, tout en guettant avec appétit les vents mauvais, elle vous achevait avec des « Je t'avais prévenue », qui vous donnaient de furieuses envies de voir s'abattre sur sa tête tous les fléaux de la fameuse *tenture de l'Apocalypse*.

4

Et coucou la voilou, à 9 heures du matin, à la porte de L'Escale, bravant les frimas pour venir me sauver. Elle, dans la pelisse de coyote qui lui va si bien, bottes de cuir, collier de perles sur cachemire. Moi, en savates et pyjama. Pas une heure choisie par hasard, croyez-moi c'est calculé.

Elle me présente sa joue : crème de jour, nuage de poudre, eau de parfum de grand prix. Effleure la mienne : miasmes, relents de nuit, parfum de chicorée.

– J'ai le droit d'entrer ?

Non ! Out ! Du balai ! Et appelle avant de débarquer, la moindre des politesses.

– Bien sûr, Alma.

Elle suspend le coyote au perroquet, retire sa toque de même poil, secoue ses boucles façon Julie Christie dans *Le Docteur Jivago* et va directement prendre place à la table de châtaignier, âme de ce lieu. Bien sûr, je sais ce qui l'amène : elle a lu l'annonce-tuerie. Adepte des réseaux sociaux, sitôt que mon nom apparaît quelque part sur le net, une alerte l'avertit. Mon amie de cœur m'a mise sous bracelet électronique, elle me surveille jour et nuit, et ce ne sont pas mes batteries qui risquent de tomber en panne, son énergie à me porter secours les rechargerait automatiquement.

Je débarrasse prestement la table de mon bol où, dans un reste de chicorée au lait, flottent de sympathiques petits îlots de pain bis (je trempe, elle non, c'est mal élevé). Lui sers un verre d'eau (rien entre les repas, sa ligne). Puis, bien obligée, m'assieds en face d'elle. Après tout, c'est peut-être une simple visite de gentillesse. Après la mort de mon Augustin elle a été parfaite, s'est mise en dix pour m'aider, elle a même pleuré.

– Dis-moi que je rêve !

Elle pousse sous mon nez l'instrument maudit où s'étale l'accroche d'enfer : « Voulez-vous partagez ma maison ? » Suivie du bréviaire des apôtres du co-living. Je sais, j'ai vu, j'ai lu, tout y est ! Les moments privilégiés, la chaleur du partage, les joies de l'échange. Sont également indiquées les conditions drastiques pour y participer. On peut compter sur Colomba pour n'avoir rien laissé au hasard. Contrairement à ce que pense le coyote, pas née de la dernière pluie, ma fille, sachant parfaitement, comme son père, où elle me fait aller. À la différence qu'elle, c'est dans le but de m'ouvrir le monde, alors que lui. Passons.

– Et alors ?

– S'il te plaît, Line, pas de ce petit jeu avec moi.

« Line », c'est quand l'heure est grave. « Linette », quand elle est à la compassion. « Linotte », quand, décidément, ma cervelle d'oiseau rend mon cas désespéré. Et pan sur le passereau à tête joliment colorée qui porte ce nom et dont le chant ravit le paysage. Et d'abord, qui a dit qu'il était étourdi ?

En représailles, je n'ai pour ma part trouvé qu'un « Alma mater » qui n'a rien à voir avec le prénom Alma : mère nourricière, Alma venant droit d'aliment, alimentation, qui la renvoie à une image de supermarché qu'elle déteste.

— Déjà, mettre UN locataire à la porte est devenu la croix et la bannière. Alors TROIS !

— Là, je t'arrête : ce ne sont pas des locataires mais des hôtes, des résidents ou des partenaires.

— Bien sûr ! Sinon tu ne leur offrirais pas si généreusement ton lit.

L'art de mettre le doigt où ça fait mal, Alma !

— J'ai l'intention de m'installer dans le bureau d'Augustin (fauteuil-lit dur comme de la pierre).

— Tiens ! Il avait un bureau, Augustin ? Voilà qui est nouveau.

Qu'est-ce qui m'a pris d'en parler : terrain miné. Si elle demande à visiter, je refuse. De toute façon, impossible d'y entrer, j'ai essayé. Porte bloquée par le bric-à-brac.

— Et pourquoi n'aurait-il pas eu un bureau ?

— C'est vrai qu'il ne se refusait rien.

C'est pas moi, c'est elle qui l'a dit.

Elle referme l'instrument, essuie ses lèvres, boit une gorgée d'eau, ressuie.

— Évidemment, c'est ta fille qui est là-dessous.

— Absolument pas ! C'est le percepteur : les droits de succession.

Alors que je m'apprête à subir une nouvelle salve meurtrière, voilà que son visage s'éclaire : mauvais, très mauvais !

– Eh bien justement, figure-toi que je suis là pour t'en parler.

Ouille ! L'alerte relierait-elle Alma à la Trésorerie générale ? Mon modeste dossier ? Avec elle, on peut tout craindre.

– VENDS ! ordonne-t-elle. Ta maison, et surtout ton terrain, valent de l'or. Avec la somme que tu en tireras, tu pourras payer tes impôts et t'acheter un joli studio avec balcon dans un bon quartier d'Angers. Baudouin et moi sommes prêts à t'aider à trouver.

Ah ah ! Je la vois venir ! Un studio de vingt mètres carrés avec balcon en face de son trois cents mètres, terrasses à l'avenant, d'où elle pourra tout à loisir m'espionner à la jumelle, quand elle ne m'en mettra pas plein la vue avec son arbre généalogique à mille branches.

Ne dirait-on pas qu'elle lit dans mes pensées ? Bien sûr, depuis le temps !

– Ainsi pourrons-nous nous voir plus souvent. Tu connaîtras mieux ma famille, notamment les derniers rameaux.

C'est dit ! Elle les a casées, ses merveilles. Sept petits-enfants modèles, issus de trois enfants dûment mariés (église-mairie) qu'elle garde avec bonheur pour soulager les mères – qui travaillent, naturellement – tout en conservant son emploi d'assistante de direction à mi-temps.

Moi, deux frères aînés, très aînés, l'un en Amérique, l'autre en Australie, pays de la libre entreprise, en âge d'être grands-pères de quantité de petits le Gallois, dont je ne peux vanter les prouesses faute de les connaître : le triste sort des « tardillonnes ». Une fille, elle très proche, de 36 ans, célibataire, qui va d'aventure en aventure, clamant sans complexe qu'elle n'aime les enfants, ces trublions, que chez les autres. Et, du côté de l'île de Beauté, deux petits de mon apiculteur et de sa Cordélia dont l'un, lors de mon dernier passage là-bas pour accompagner Augustin à son ultime demeure, m'a lancé un abominable « Mémé » tandis que l'autre, ayant mal appris la leçon, me gratifiait d'un froid « madame ».

Je me lève.

– Alma, t'oublies pour le studio. Il n'est pas question que je vende ma maison.

Bluffée par la fermeté de mon ton, elle se lève elle aussi :

– Mais pourquoi ?

D'un pas assuré, je la précède vers la sortie, savourant l'instant. L'alerte la plus sophistiquée, le bracelet électronique le plus vicieux ne sont que d'aimables gadgets face à mon secret. Je lui présente sa fourrure – à coyote, coyote et demi –, l'embrasse sur les deux joues.

– J'ai mes raisons.

5

Paul !

Votre meilleur ami, votre confident. Toujours prêt à vous écouter, du haut de son expérience, il sait mieux que quiconque vous apaiser tout en vous permettant de rêver.

Votre beau et fier marronnier.

On donne bien des noms aux bois, aux jardins, aux roses, alors pourquoi pas à un arbre particulièrement chéri ? Et on n'a pas attendu Jean de La Fontaine et son chêne pour savoir qu'un arbre parle. Et c'était bien ce géant, vingt-cinq mètres, dans sa belle maturité, 100 ans, qui, lors de votre première visite à L'Escale en son jardin-brousse, vous avait appelée en agitant de toutes ses forces son houppier de fleurs blanches : « Viens ! C'est là, c'est toi, c'est nous. » Et vous aviez couru, vous vous étiez assise sur la chaise rouillée abandonnée contre son torse – pardon, son tronc. Depuis vous ne vous étiez plus quittés.

Mais pourquoi « Paul » ?

Voyez-vous un marronnier s'appeler « Jean-Eudes » ou « Didier » ? Alors…

« Franchement, maman, est-ce que tu t'imagines vraiment vivre seule ici ? » vous avait demandé votre fille, histoire de faire passer son « co-living-tuerie ». Comme si, seule, vous ne l'étiez pas depuis belle lurette auprès d'un militaire qui, règlement oblige, « doit être disponible à toute heure du jour ou de la nuit, tous les jours de l'année » ? Il reste quoi à l'épouse, là ? Qui, lorsqu'il était à la maison, regardait davantage du côté de vos casseroles que de votre petite personne : « Qu'est-ce que tu nous fais de bon pour dîner ? » Dont la conversation se limitait un peu trop à l'état de ses chemises, slips et chaussettes ?

Alors que, jour et nuit, Paul était disponible pour vous, froissant joliment votre jupe de ses soupirs, vous rafraîchissant de son ombre, vous écoutant, sans bâiller, lui parler d'un père magnifique, vous affirmant, avec délicatesse et force à la fois, que « lorsqu'un de vous deux serait mort », et aussi longtemps que bruirait son feuillage, le vent raconterait les beaux rêves échafaudés en sa compagnie, tandis que vous lisiez à son abri.

Longtemps, les romans d'amour avaient eu votre préférence. À l'âge où l'on n'y croit plus, vous vous étiez tournée vers les polars qui vous offraient l'action et l'évasion dont manquait votre vie de grillonne du foyer. Entre parenthèses, les conseillers conjugaux feraient bien de se pencher sur le nombre impressionnant de « femmes à la maison » passionnées de polars bien sanglants !

La lecture, comme chacun sait, nous aide à découvrir notre voie tout en nous proposant des modèles. Ainsi, au fil des années, aviez-vous trouvé la vôtre, découvert le métier pour lequel vous étiez taillée, mêlant la psychologie, un instinct dont certains vous disaient pourvue, et le goût du risque (périlleuse entreprise de séduction d'un père). Ce métier ? Profileuse, en anglais, ou « psycho-traqueuse », qui sonne mieux. Ce policier d'élite, peu bavard, sombre de caractère, bien souvent blessé par la vie, qui excelle à pénétrer le cerveau du tueur en série, à infiltrer ses pensées, à éprouver ses sentiments, épousant si bien sa personnalité que, de cadavre en cadavre, il finit par se retrouver sur son terrain de chasse, face à la victime qui hurle de terreur. Et qu'il ne lui reste plus, maîtrisant ses propres démons, qu'à passer les menottes au prédateur.

Bref ! Pour en revenir aux deux-mille mètres carrés (en or selon Alma) sur la Maine, l'une des rivières baignant Angers avant de se jeter dans la Loire, Augustin s'en voulait le grand maître. Tondre, tailler, élaguer, une affaire d'homme. Il y consacrait tous ses loisirs, dans le vacarme de la tondeuse ou le claquement de sa cisaille, refusant votre aide : « Ne va pas salir tes jolies mains, ma Linette. » Vous ne discutiez pas : on peut aimer les fleurs sans les avoir semées et, de toute façon, c'était les sauvages vos préférées, les timides, les humbles au parfum secret. Buissons et bosquets se passaient également très bien de vos soins. Mais vous n'auriez laissé à personne, l'automne venu, le plaisir de passer le râteau autour de votre confident, écoutant croustiller ses feuilles comme des gaufrettes.

Quelle idée était venue à Augustin de créer un coin potager ? Et là, il vous aurait bien vue semant et récoltant de muets et assommants légumes pour purées, macédoines ou potages. Mais outre que vous n'aviez ni la main verte, ni la « dent sucrée » (fruits), pourquoi aller vous casser les reins en défonçant la terre alors que votre belle ville s'était mise tout entière au service du végétal, que ses marchés regorgeaient de produits cultivés par ses apôtres, sous la protection de la fée Pollen, figure d'Angers ? Vous mesurer à une fée ? Vous n'aviez jamais eu cette prétention.

Total, parler de Paul à Alma qui n'aime que les plantes en pots et dont la fleur favorite est le prétentieux glaïeul, impossible !

Et comment auriez-vous pu imaginer, ne serait-ce qu'une seconde, qu'un jour pas si lointain le métier de vos rêves vous serait d'une certaine utilité ?

6

– Une tuerie, maman ! Des milliers d'appels. J'ai dû me faire aider pour le tri. Tu viens voir ça à la maison demain ? Ça te fera pas de mal de te bouger un peu.

L'Escale est à environ huit kilomètres du centre d'Angers où niche ma fille. En dehors de mes pieds, mon seul moyen de locomotion est le vélo. J'aurais bien, dans le bûcher, la 4 × 4 d'Augustin, gracieusement appelée « le tank », s'il avait accepté de me laisser y faire mes preuves, forte d'un permis de conduire obtenu haut la main le jour de mes 18 ans grâce aux leçons clandestines de mon père, sur sa voiture de service, dans le parc de Balzac, tandis que maman, toute tremblante, faisait le guet : « Tu y arriveras, ma grande ! » Alors qu'écoutez Augustin : « Ma pauvre chérie, ta tête arrivera à peine au-dessus du volant. Et je tiens à te garder ! » Ouais, il tenait surtout à sa carrosserie.

Bref. En cette matinée pluie-grésil de début février, encouragée par les cloches des églises (dimanche), je me suis donc « bougée » sur mon deux-roues et, après une heure de galère, suis arrivée trempée-réfrigérée dans le loft dédié au « vintage » de Colomba.

Le vintage (vin-âge) nous contait autrefois le millésime d'un vin, plus particulièrement celui de Porto. Aujourd'hui, il désigne la fripe, l'objet, le meuble, dénichés au fond d'une brocante, un vide-grenier, voire contre une poubelle sur le trottoir. Toute pièce de préférence mangée aux vers, ce qui en garantit l'authenticité. À l'ère du numérique, se lover dans le passé est furieusement tendance, un peu comme déguster un petit Lu, en commençant par les coins, dans une fusée spatiale.

Ma fille m'a aidée à retirer ma doudoune et elle l'a suspendue à une longue tringle d'or rouillé venant de l'Opéra de Paris, fleurant bon les robes de scène, pourquoi pas celle de « la Divine », Sarah Bernhardt ?

— Viens vite te réchauffer, mamounette.

Un feu de bois éclairait la table Art déco recouverte de matériel informatique. Je suis tombée sur les ressorts saillants d'un canapé de cuir fendillé comme la peau d'un vieux mammouth. Elle a posé devant moi un mug de chocolat chaud et un paquet de kinder bueno. Douceur d'avoir une fille connaissant si bien vos goûts ! Elle-même s'est servie un ballon de rosé d'Anjou – après tout, n'arrivait-on pas doucettement à l'heure de l'apéritif ? Pas le genre, comme certaines, à se contenter d'eau claire pour une ligne qu'elle gardait naturellement.

— Tout d'abord, je te rassure ! Ton adresse n'apparaît nulle part, j'y ai veillé. Elle ne sera dévoilée qu'aux trois élus, la veille de leur visite chez toi.

Ouf ! À quoi ai-je échappé grâce à ma Colomba !

– Maintenant, si tu veux bien, une remarque générale, reprend-elle. Pratiquement tous les postulants ont cité le jardin comme motivation première de leur candidature, c'est papa qui serait fier. Et, pour l'entretien, quelque chose me dit que tu n'auras pas de souci à te faire.

Tant que les postulants respectent mon intimité avec Paul, no problem. Colomba déguste une gorgée de rosé, moi une de chocolat. Elle me sourit.

– Avant de te présenter les trois glorieux vainqueurs, un p'tit tour du côté de ceux gardés dans le vivier au cas où. T'as tes lunettes ?

Hélas ! 55 ans, l'âge où on ne voit ni de près ni de loin et où on les perd tout le temps[1]. Je les ai chaussées, comme on dit, sur le bout de mon nez.

Clic, clac, navigation. Dans la fenêtre, en haut à gauche de l'écran magique, se succèdent des visages féminins et masculins, sérieux, souriants, suppliants. Colomba commente avec humour : celui-là aurait été parfait… bien que pasteur… Celui-ci idéal… quoique militaire. Et regarde celle-là, maman, sous ses airs innocents, un poste important aux impôts (une espionne dépêchée par Alma ?).

Un peu étourdie, je regarde défiler les recalés, me défendant d'un sentiment de pitié. Mon bon cœur me perdra !

– Fais pas cette tête, s'attendrit Colomba qui lit en moi à livre ouvert. N'oublie pas ce que je viens de te dire : au besoin, on en repêchera certains.

---

1. Une pensée émue pour mon amie Nicole de Buron : *Mais où sont passées mes lunettes.*

37

N'empêche ! Je suis soulagée quand elle stoppe le triste défilé. Presque midi, déjà ? Ma fille évacue mon mug de chocolat et, sans me demander mon avis, le remplace par un ballon de rosé. En profite pour se resservir. Je vous entends : « Pas un petit problème d'alcool, Colomba ? » Laissez ces vilaines pensées à Alma. Jamais vu ma fille pompette.

Son visage devient sérieux.

– Prête à rentrer dans le dur, mamounette ? Tes futurs partenaires. Surtout, t'hésites pas à poser des questions. Prochaine étape, ils t'arrivent en chair et en os à L'Escale et c'est à ton tour d'être sur la sellette. On y go ?

Vite, une lampée de rosé qui fait un drôle de bruit dans ma gorge, comme un « non ».

Elle y go.

7

Apparaît à la fenêtre de l'ordinateur un visage rond, yeux brillants, large sourire, boucles blondes.

– Priscille Blondeau, 26 ans. Vous devriez bien vous entendre, toi qui aimes la lecture (les polars), elle écrit et illustre des contes pour enfants (pas mon genre). Elle fait également des animations dans les écoles : un sourire sur pattes, comme tu vois.

Elle agrandit la photo, le sourire dévore l'écran.

– Questions ?

– Ta conteuse pour enfants-sourire sur pattes, comment se fait-il qu'elle ne soit pas mariée et mère de famille nombreuse ?

– MAMAN ! Dois-je te rappeler les conditions ? Ni conjoint, ni enfants. Leur vie perso, on s'en fout, c'est leur affaire. Côté solvabilité, aucun problème : un joli héritage de ses parents, morts accidentellement lorsqu'elle avait 10 ans. Okay ?

Une orpheline ! Vais-je la jeter à la trappe sous prétexte que mon fameux instinct de psycho-traqueuse hurle « danger » à mon oreille ?

– J'ai tout vérifié : aucun lézard ! À vrai dire, je l'ai un peu choisie pour toi : un écrivain, tu te rends compte ? s'attendrit Colomba. On passe au suivant ?

Peut-on appeler « lâcheté » que de s'incliner devant l'amour d'une fille ? J'abdique avec une seconde gorgée de rosé.

Clic, clac.

– Yuan Po Po, 46 ans, annonce cette fois Colomba.

Alors qu'un rire idiot (Po Po) me monte aux lèvres, voilà qu'apparaissent dans la lucarne deux yeux bridés qui semblent vouloir s'enfoncer dans les miens, visage jaune, cheveux de jais.

– OH !

– Quelque chose contre les Chinois, maman ?

Éliminer un candidat pour sa couleur de peau est passible d'amende carabinée, voire de prison ; je m'écrase.

– Mais bien sûr que non, ma chérie. Au contraire !

– « Le sourire vient des pieds », ça te parle ? poursuit Colomba.

Oui ! Ma fille est folle. On m'a prévenue.

– C'est le métier de maître Po Po Sushima : réflexologue.

– ???

– Il travaille sur le pied, réceptacle de l'harmonie entre le corps et l'esprit.

Mon regard tombe sur mes réceptacles personnels, enfouis dans mes Nike spéciales vélo. Colomba suit mon regard.

– Eh oui ! Sache que la plante de tes pieds, la pulpe de tes orteils, te reflètent tout entière. Tes émotions, tes sentiments, tes frustrations y sont inscrits. Par un massage approprié, maître Sushima peut soigner tous tes maux.

Masser mes sentiments, intéressant ! Je me demande ce qu'en pensera Paul. Pour Alma, pas difficile à deviner.

– Science qui nous vient d'Akhenator, deux cent quatre-vingts ans avant Jésus-Christ. À ne pas confondre avec Akhenaton, le pharaon époux de la belle Néfertiti, ou le rappeur de même nom.

J'ai honte, j'ai honte. C'est le visage du rappeur qui m'est apparu en premier. Ma fille, une vraie culture, puisée sur internet et non dans la lecture de polars comme sa mère !

– Pratique dont on retrouve la trace sur les bas-reliefs de nombreux temples égyptiens, m'enfonce la lettrée. On peut même voir un malade adresser en hiéroglyphes cette supplique à son médecin : « Surtout, ne me faites pas mal. »

Mon gros orteil se recroqueville. Finalement, en hiéro-glyphes ou non, pas sûr que je demande une consultation à Yuan Po Po.

– Du mal qui fait du bien, précise Colomba sur sa lancée. Il t'expliquera tout ça. Lui aussi écrit des livres : un grand savant reconnu partout, un être exceptionnel. Objection ?

– Pardon de me répéter, mais le grand savant reconnu partout, l'être exceptionnel, le réflexologue... pas trouvé chaussure à son pied (ah ah), postulant pour une modeste chambre ?

– Pas si modeste, la tienne ! m'assène Colomba. La plus grande. L'espace est primordial pour son karma (et pour le mien, donc !) et, tiens-toi bien, il est prêt à doubler la mise, c'est dire le blé ! Quant à l'être exceptionnel n'ayant pas trouvé chaussure à son pied, je te ferai remarquer que ça peut arriver aux meilleures, ajoute-t-elle malicieusement en se désignant.

Humour contre humour ! Je m'incline. OK pour maître Sushi. Pardon, Sushima.

– Prête pour la dernière élue ? lance gaiment Colomba. Padam ! on applaudit Claudette.

Oh oui ! Et même une standing ovation saluant le miracle ! Le visage qui apparaît à la fenêtre n'est ni jaune, ni vert, ni rouge, ni noir. Un réconfortant visage pâle de Madame Tout-le-Monde, un sourire naturel, des lunettes. Allez savoir pourquoi ma sympathie est immédiate.

– Claudette Dupont, 35 ans, poursuit Colomba.

Je le savais ! Le prénom l'annonçait : Dupont, nom bien de chez nous. Durand, Dumont, même Martin m'auraient également convenu, je ne suis pas chauvine.

– Et que fait notre Claudette ?

– Éthologue.

– ???

– Chercheuse en comportement animalier (un grand cœur en plus !). Célibataire, une fille…

Patatras ! Je bondis sur mes réceptacles d'harmonie.

– Mais tu avais dit…

– On se calme, maman ! Gertrude, sa tortue. Un problème ?

– Au contraire, j'ai toujours rêvé d'avoir une tortue.

Un animal discret, logé, indépendant, suivant son petit bonhomme de chemin. Gertrude Dupont, ça sonne bien. Et je ne veux pas connaître le montant du compte en banque de sa mère : elle a toute ma confiance.

Et apparemment celle de Colomba puisqu'elle oublie de m'en parler.

Elle referme son ordinateur, trinque avec moi. La route, le choc des cultures, le rosé… Je ferais bien un p'tit somme.

– Comme tu as pu le constater, trois êtres à la fois hors du commun et parfaitement sociables, le but du co-living, conclut ma fille. Une fabuleuse ouverture sur le monde. Je te les amène samedi prochain à L'Escale pour une visite des lieux. T'as huit jours pour descendre tes petites affaires au rez-de-chaussée. Fais pas cette tête, je t'envoie Max dès demain pour t'aider.

8

Maxence, dit Max, 26 ans, est le dernier petit ami de ma fille (pour mémoire, elle 36). Ai-je dit qu'en plus de son immense facilité à naviguer dans le monde numérique elle était belle ? 1,76 mètre sans talons, un vrai corps, pas un maigre fagot comme tente de nous imposer la mode. Des formes amples, accueillantes, hospitalières. Et les fragiles jeunes hommes d'aujourd'hui, doutant de leur sexe, hésitant entre jupe et pantalon, ne s'y trompent pas, qui viennent retrouver leur virilité entre ses bras, le punch en plus.

Son bac en poche comme quatre-vingt-cinq pour cent de ses semblables, Maxence était rentré tout feu tout flamme à l'université. La mise en scène l'attirait. Il pensait naïvement qu'avec la foi, un certain talent, la ténacité et une licence en « Art du spectacle » il pourrait y faire son chemin, trouver un emploi, fût-ce en bas de l'échelle pour commencer. Comme si l'université était là pour procurer un métier aux jeunes ! Cela se saurait ! Ainsi s'était-il retrouvé avec les copains sur le pavé des illusions perdues, vivotant de petits boulots et de la charité parcimonieuse de l'État. Colomba cherchait une femme de ménage. Il s'était présenté. Conquise par son culot, apitoyée par sa détresse, elle l'avait embauché, nourri, logé, aimé comme il fallait. Son homme à tout faire en somme, jusqu'à la reprise promise-jurée par les surdiplômés de l'ENA.

« T'as huit jours pour descendre tes petites affaires au rez-de-chaussée », m'avait signifié ma fille ce dimanche. Comme promis, Max a débarqué lundi pour évaluer le chantier.

Dans la chambre matrimoniale – vingt-huit ans de vie, pas rien ! – le contenu de l'armoire-penderie, de la commode – petit linge, de la bibliothèque-polars. Jolie coiffeuse et son pouf dont maître Sushima n'aurait certainement pas l'usage, mille précieux et inutiles cadeaux de fêtes des Mères, pêle-mêle de photos. Un joli baluchon quand même.

Liste faite, nous sommes descendus en repérage dans le lieu d'atterrissage (bureau-foutoir), et là, la porte ouverte à coups d'épaule, même ayant étudié la mise en scène, Max a eu un moment de flottement face au spectacle.

Dans l'improbable lumière dispensée par un vasistas (mot venant de l'allemand « Was ist das ? », « Qu'est-ce que c'est ? » ; vantail ? lucarne ? œil-de-bœuf ?) s'entassaient une foule d'objets hétéroclites : antiques instruments aratoires, valises crevées, lampes déglinguées, chaises bancales, vaisselle ébréchée, guitare explosée. Au centre du mausolée, le fauteuil-lit déployé.

Nous y sommes tombés (dur comme une pierre tombale). Le gentil Max s'est éclairci la gorge.

– Je ne voudrais pas vous blesser mais je ne vois qu'une solution...

– Tout à la décharge ! l'ai-je libéré, mue par l'indignation.

Ma fille avait-elle seulement été y voir avant de m'expédier dans ce charnier ?

– Colomba m'a parlé d'une voiture ?

Le « tank 4 × 4 », remisé dans le bûcher, lui plein à craquer de bois pour cent ans.

– Celle de mon mari... à condition qu'elle démarre.

Elle démarrait ! Il reviendrait demain faire place nette pour moi.

Jouxtant le caveau, se trouvait une minuscule salle d'eau : douche, lavabo, W-C, un miroir de poche piqué aux vers. Ma salle de bains, ma chère salle de bains !

Nos rapports avec l'eau en disent long sur notre personnalité. Passons sur ceux qui l'évitent – bon pour la planète. Augustin s'en sera allé sans connaître la volupté d'un bain moussant, le plaisir d'enfoncer ses épaules dans une eau chaude à point, de regarder, dans une semi-torpeur, ses orteils (sièges de l'harmonie entre corps et esprit) émerger de l'onde, tout en écoutant la douce explosion de bulles irisées. Lui, « une bonne douche revigorante » ou rien.

Face à mon désarroi, le gentil Max m'a promis de fixer au mur une armoire de toilette, tandis que je me jurais d'utiliser clandestinement ma salle de bains lorsque mes hôtes exerceraient à l'extérieur leurs lucratives activités.

La semaine est passée comme le vent.

Mardi : opération décharge, grâce à la voiture, désormais mienne, qui, en effet, a condescendu à démarrer, Maxence poussant, moi au volant. Et que j'ai mise à sa disposition contre quelques leçons particulières qui me permettraient d'utiliser enfin mon permis. Sait-on jamais ?

Adieu, fauteuil-lit remplacé par un futon, moelleux comme son nom, cent pour cent naturel, en latex et fibre de coton, offert par Colomba, commandé sur le net, livré quatre heures plus tard : miracle du e-commerce.

Mercredi : lessivage de ma future chambre et première couche de peinture, le blanc choisi sans hésitation, remplaçant l'atmosphère-tombeau par la fantomatique.

Jeudi, seconde couche de peinture, cette fois « blanc satiné », façon capiton de cercueil.

Vendredi : déménagement de mes petites affaires.

La vie n'est qu'un choix douloureux. Pour placer coiffeuse et pouf, il m'a fallu renoncer à une table (j'écrirai dans mon lit, j'adore).

Commode ou bibliothèque ? Commode. Mes polars alignés contre le mur telle une sombre ligne de tir. L'usage du futon – qui n'est autre qu'un matelas pneumatique déguisé – interdisant la table de nuit, quelques briques astucieusement superposées, recouvertes d'un napperon, ont recueilli ma lampe de chevet.

Ainsi, d'une vue sur le ciel, je passais au terrier, à la tanière, à l'abri antiatomique.

– Mon Dieu, c'est carrément gothique ! s'est émerveillée Colomba, venue inspecter les travaux finis.

Je lui ai fait remarquer que, tant qu'à être tendance, j'aurais préféré le vintage.

– À la guerre comme à la guerre, maman. Et te voilà de plain-pied avec ton jardin chéri.

Ne croyant pas si bien dire !

Car cette semaine de deuil de ma chambre m'avait, malgré tout, réservé une bonne surprise. En deux actes.

Un : alors que nous sortons à grand-peine le fauteuil-lit du caveau, une grosse clé s'en échappe, genre clé de cave. Ouvrant la nôtre ? Négatif : clé mystère.

Je la mets soigneusement de côté. J'aime fantasmer sur les clés ouvrant des portes interdites donnant sur l'aventure, la liberté. Faut-il que j'en aie été privée !

Deux : mercredi (lessivage), tandis que dans un nuage de poussière nous arrachons la tenture pourrie qui recouvre le mur autour du « Was ist das ? », voilà qu'apparaît la destinataire de la clé. Une lourde porte de bois donnant sur le jardin, dissimulée à l'extérieur par une haie de pyracantha, plante à feuillage persistant, donnant au printemps des grappes de fruits rouges et orange qui lui valent le beau nom de « buisson-ardent ».

Comment se fait-il qu'Augustin m'en ait caché l'existence ? Voilà que s'éclaire tout un pan de la sienne. Les nombreuses nuits passées loin de moi (qui ne m'en plaignais pas) sous prétexte de ne pas troubler mon sommeil en se couchant tard ou se levant tôt.

Ah ah ! Qui allait-il retrouver en passant par le buisson-ardent après sa bonne douche revigorante ? Un homme est un homme, n'est-ce pas ? Lui, pas le genre à se poser des questions sur son sexe comme les mauviettes d'aujourd'hui, doublement homme par l'uniforme, les tombant toutes.

Pour en revenir à Maxence, qu'il m'arrive de considérer comme le petit frère que j'aurais souhaité avoir, il m'a promis de garder le secret sur notre découverte. Nous avons rhabillé la porte dérobée d'une épaisse tenture d'aspect innocent. J'ai gardé la clé à portée de main. Qui sait ?

9

Qui sait ?

Voilà combien de temps qu'Alma ne vous a pas rendu visite ? Bien sûr, elle vous appelle régulièrement : « Ça va ? » « Toujours décidée à ruiner ta vie ? » « Pas encore installée avec tes… comment déjà ? Ah oui, tes parasites ? »

Serait-elle vexée après que vous l'avez magistralement boutée hors de votre maison, elle et son coyote, l'autre matin ? Sûr, elle fait la gueule, attendant le naufrage en fourbissant des larmes empoisonnées.

À moins qu'ayant enfin admis qu'elle ne vous était d'aucune utilité, que vous vous débrouilliez admirablement bien sans elle, elle n'ait décidé de vous lâcher enfin les baskets. Jusqu'au jour où, atteinte à son tour (perte subite d'un mari ? divorce d'un enfant ? découverte de sa comptabilité truquée d'assistante de direction ?), elle viendra chercher secours auprès de vous qui saurez lui montrer le vrai sens du beau mot « solidarité ».

Bref ! Quand bien même son système d'alarme l'a sûrement avertie que demain vous seriez mise en examen par les postulants à partager votre maison, pour l'instant, Dieu soit loué, elle se tient à carreau.

18 heures viennent de sonner. Déjà, la nuit menace. Colomba et Maxence vous ont abandonnée à votre triste sort. Vous vous apprêtez à vous réconforter en regardant les nouvelles du jour à la télévision : attentats, prises d'otages, massacres, sanglants règlements de comptes, lorsqu'un bruit de pas écrasant le gravier vous alerte : un oubli de vos chers collaborateurs ? Vous jetez un coup d'œil vers la baie. Au secours ! C'est elle, Alma, cinglant droit sur vous.

La recevoir ? Pas question. Elle saperait vos dernières forces. Vite, votre abri, la clé, la tenture, la porte dérobée. Ouf ! Sauvée...

– Line ? Line ? C'est moi...

Il était temps. Elle vient de pénétrer dans la maison.

Réfugiée dans le feuillage du pyracantha (buisson-ardent), vous pouvez l'imaginer tournicotant dans la châtaigneraie. Vous n'avez pas eu le temps de refermer la porte de votre chambre. Osera-t-elle y entrer ? Violer votre intimité ?

C'est fait ! Les talons de ses escarpins malmènent votre plancher. Et vous pouvez être tranquille, rien ne lui échappe : futon à ras du sol, lampe en équilibre sur trois briques, littérature par terre. Pourvu qu'elle ne découvre pas la salle d'eau !

– Mais enfin, Line, où te caches-tu ?

Vous vous enfoncez un peu plus dans le buisson-ardent. Et, soulagement, ne dirait-on pas qu'elle s'éloigne ? En a-t-elle assez vu ? Va-t-elle déguerpir, désolée-ravie par le spectacle ?

Vous recommencez à respirer lorsque, horreur, votre portable sonne dans votre poche, son nom s'affiche.

Prendre ou ne pas prendre, that is the question. Si vous ne prenez pas, elle est capable d'appeler les pompiers pour signaler votre disparition. Allez, courage !

— C'est toi, Alma ?

— Enfin, Line ! Peux-tu me dire où tu es ?

— À Londres, pour le week-end.

— LONDRES ? Mais qu'est-ce que tu y fais ?

— Du shopping.

Vlan ! K-O, Alma. Vous auriez dû tenter Tokyo. Vite ! Profitez de votre avantage.

— Et toi, Alma, t'es où ?

Avouera-t-elle : CHEZ VOUS ?

— Tu ne devineras jamais, à L'Escale, passée te faire un p'tit coucou. À propos, puis-je te signaler qu'on entre chez toi comme dans un moulin ? Tout ouvert ! Pas peur d'être visitée, Linette ?

« Linette » : bonus – effet Londres. Quant à être visitée, il vous semble que c'est fait.

— Aucun souci, Alma. Colomba occupe la maison en mon absence. Elle a dû sortir faire un tour et ne devrait pas tarder à rentrer.

Voilà qui va la faire dégager vite fait. Elle craint ma fille comme la peste : QI infiniment supérieur au sien.

Damned ! La voilà qui apparaît à dix mètres de votre porte dérobée, elle à l'entrée principale. Le terme « rentrer sous terre » prend tout son sens. Mais ne dirait-on pas que son pas s'éloigne ? Vous sortez une antenne, l'autre, n'osant vous croire sauvée.

– Et pour tes co…liveurs, tu en es où ?

Plus fort qu'elle ! la raison de son p'tit coucou.

– Pardon, mais là j'ai pas le temps de te répondre. On vient me chercher pour dîner.

Vous pouvez la voir piler dans l'allée.

– ON ?

Une fois de plus, votre meilleur ami vous sauve.

– Paul.

– PAUL ?

Un frisson n'a-t-il pas agité son feuillage ?

– Bye, Alma, on se rappelle un de ces quatre.

– Mais…

Tchac ! Communication coupée, portable éteint.

La voiture arrêtée devant le portail disparaît. Il faudra que vous révisiez votre anglais.

10

– Alors, maman, en forme ? Prête pour le grand saut ?

Colomba m'embrasse sur les deux joues, jette sa veste sur une chaise, s'affaire autour de la machine à café.

On voit qu'elle n'a pas passé une nuit blanche en regardant, d'un futon, par une porte dérobée, un quartier de lune accrochée à une haie.

– Et t'as vu ? Le ciel est avec nous !

Elle désigne, de l'autre côté de la baie, le ciel bleu, sans vent, sans nuages. Rien d'un ciel londonien.

J'ai décidé de passer sous silence la visite d'Alma et mon escapade à Londres. Inutile de compliquer les choses. Je rejoins ma fille à la table de châtaignier où elle vient de poser les tasses. Elle lève la sienne, la heurte à la mienne : « Tchin ! » Tout elle ! Saisissant au bond toute occasion de faire la fête, ce qu'on appelle un « heureux tempérament » (contrairement à certaine).

– J'espère que tu as bien compris que tout se jouait aujourd'hui, mamounette. Si tes partenaires t'agréent – et réciproquement – tu signes les baux cette semaine et ils emménagent samedi prochain.

Les « beaux », les « beaux », je demande à voir ! Et j'ai si bien compris que je donnerais une année de ma vie (antérieure) pour être à Londres, shoppant avec Paul. Quand je suis allée le saluer ce matin, tout occupé à fourbir ses bourgeons, il m'a seulement répondu que, quelle que soit l'issue de cette journée, il serait là ce soir. Pas faux !

Colomba montre la pendule. Est-ce possible, déjà 9 heures ?

– Tu noteras la délicatesse. Bien qu'archipressés de découvrir ta maison, ils ont eu à cœur de ne pas te cueillir au saut du lit.

Du futon.

Et elle a parlé un peu vite, voilà qu'on sonne au portail. Elle s'élance, je suis : Priscille.

Elle est venue à vélo. Dans sa robe printanière, avec son visage rond auréolé de boucles blondes, son grand sourire, ses sandalettes à brides, elle semble sortir tout droit d'un livre de contes. L'un des siens ? Fée Clochette…

– Vous êtes Line, s'écrie-t-elle tandis que Colomba lui ouvre. Je peux vous embrasser ?

Aujourd'hui, tout le monde embrasse tout le monde, ça ne veut plus rien dire, alors je ne dis rien, tends docilement ma joue, notant quand même au passage que Priscille Blondeau se contente de serrer la main de Colomba avec une certaine timidité. C'est mon problème : je n'ai jamais su me faire respecter. Sûr qu'elle n'aurait pas non plus embrassé Alma.

Elle rentre son vélo, l'appuie au portail, cale sur son épaule la lanière d'un gros sac fleuri, s'engage avec nous dans l'allée, découvrant, émerveillée, le vaste terrain qui, en dehors de Paul, son fleuron, abrite une petite escouade de pommiers en fin de vie, un saule déplumé et un noyer stérile.

— Ton jardin ! résume Colomba avec un geste large.

« SON » jardin ? Là, elle exagère. Qui c'est qui qui décide ? Je n'ai encore rien signé que je sache. Et ce « tu »...

Aujourd'hui tout le monde tutoie tout le monde et ça ne veut plus rien dire non plus.

— Pas un jardin, un parc ! s'extasie la fée Clochette.

Respecté par les quelques toits environnants, souligné par le ruban argenté de la rivière, là-bas.

Nous arrivons à la maison lorsqu'elle s'arrête net, main sur la bouche pour retenir un cri. De l'autre, elle désigne les quelques mètres plantés de tuteurs, prêts à accueillir tomates ou haricots grimpants, le plant d'oseille envahi de mauvaises herbes, le petit tas de patates gelées. Le tout protégé par un grillage défaillant.

— Serait-ce ?

— Un potager, répond rondement Colomba. Mon père aimait à y cultiver ses potages.

Priscille se tourne vers moi, le visage suppliant.

— Line, s'il vous plaît, m'autoriserez-vous à prendre le relais ?

Ma parole, elle s'y croit déjà ! Et pourquoi un simple « oui » se refuse-t-il à passer mes lèvres ? En quoi laisser Priscille s'occuper du potager pourrait-il me gêner ? Voilà qu'à nouveau, comme en face de son sourire dévorant sur internet, l'alarme retentit dans ma tête de psycho-traqueuse.

Colomba me fait les gros yeux.

– Je vous en prie, insiste la Clochette.

– Maman en sera ravie, répond ma fille pour moi.

– Oh, merci, merci.

Je bats en retraite dans la maison pour échapper à un autre baiser. Empoisonné ?

Dans celle-ci, tout lui a plu infiniment, à commencer par la châtaigneraie. Ah, elle se voyait déjà écrivant, dessinant, préparant ses interventions dans les écoles à la belle table de bois. Et cette vaste cuisine, ces nombreuses étagères, ce beau plan de travail, ce confortable réfrigérateur. Si importants, les repas, n'est-ce pas ? Si beau le mot « compagnon », venu de pain, le partage du pain. Pas n'importe lequel bien sûr…

Résignée à me voir garder le silence, Colomba se mettait en quatre, en dix, vantant, dans le réfrigérateur, l'étagère dévolue à chacun, faisant briller de futures agapes prises en commun, des moments privilégiés, des heures fécondes. Comme si elle avait besoin de vanter la marchandise (vivier abondamment fourni).

À l'étage, Priscille a trouvé sa chambre (vue sur le potager) sublime. Je me suis permis de lui faire remarquer qu'au-delà du potager, en se penchant vers la gauche, sublime également, coulait la Maine.

La salle de bains n'a pas semblé l'intéresser plus que ça : aux bains, elle préférait les douches. Savais-je d'où l'eau venait ? Lorsque j'ai avoué n'en avoir aucune idée et la consommer sans problème depuis vingt-huit ans, elle a poussé un cri effarouché.

– Sans problème, vraiment, Line ? En êtes-vous certaine ?

– Ai-je donc si mauvaise mine ? me suis-je divertie à lui demander.

Bec cloué !

De retour à la châtaigneraie, Colomba lui a proposé un rafraîchissement : Coca ? soda ? jus de fruits ? (trop tôt pour le ballon de rosé).

– Merci, j'ai apporté le nécessaire, a-t-elle répondu en sortant de son sac fleuri une bouteille d'eau minérale, marque inconnue. Voulez-vous la goûter ? Elle est incomparable.

De l'eau, Colomba ? Elle a admis être accro au Coca, s'attirant un nouveau cri. Pour racheter ma fille, j'ai tendu mon gobelet, sans aller jusqu'à trinquer. Priscille ne m'a pas quittée des yeux tandis que je testais.

– Alors ? a-t-elle demandé fiévreusement comme je reposais le gobelet.

– Oh, vous savez, moi, tant que ça ne sent pas trop l'eau de Javel, ai-je lancé pour détendre l'atmosphère.

Qu'avais-je dit ? Comme un éclair de colère a traversé son regard.

– Pardonnez à ma mère, elle aime un peu trop plaisanter, s'est précipitée ma fille en m'expédiant, mentalement, un coup de pied dans les jarrets.

– Mais c'est tout pardonné ! s'est écriée la Clochette, tout sourire retrouvé.

Avais-je rêvé l'éclair (nuit blanche) ? Voilà qu'elle tirait de son sac à trésors un paquet-cadeau.

– Pour vous, Line.

Je l'ai ouvert tandis qu'elle consommait religieusement son eau incomparable.

Il contenait un album à colorier et une boîte de crayons de couleur. Depuis quelque temps le coloriage antistress fait fureur chez les adultes. Certains en oublient même – c'est le but – d'allumer leur ordinateur.

Nul n'ignore qu'aucun cadeau n'est innocent. On offre pour se faire plaisir (« j'ai choisi comme pour moi ») ou afin de s'attirer les bonnes grâces du bénéficiaire (« je ne vous remercierai jamais assez »).

Si j'aime plaisanter, j'ai horreur qu'on me prenne pour un pigeon, c'est pourquoi je me suis contentée d'adresser à la soudoyeuse un sourire entendu (« je ne suis pas dupe »).

– Qu'est-ce qui t'arrive, maman ? T'as tout juste été polie, râle Colomba tandis que nous revenons vers la maison après avoir raccompagné la Clochette à son vélo.

– Elle est trop ! Trop souriante, trop expansive, trop enthousiaste. C'est louche.

– T'aurais préféré qu'elle fasse la gueule, c'est ça ?

– Elle, la gueule, elle la fait sur l'eau. Tu crois qu'elle est « verte » ?

– N'importe. Tout ça pourrait bien te valoir l'autorisation d'utiliser ta baignoire.

Capituler... devant un bain moussant ?

Avant que j'aie pu répondre à cette intéressante question, le ronronnement d'une voiture électrique se posant devant le portail nous y a ramenées, Colomba et moi.

Maître Yuan Po Po Sushima.

11

Sitôt passée la barrière, il s'incline devant moi, mains brièvement jointes. Idem devant Colomba qui, face à tant de déférence, semble pour une fois ignorer quelle attitude prendre.

Croyez-vous qu'il porte la robe « Ming » à manches évasées et large ceinture, tongs assorties, comme on en voit dans les boutiques chinoises de la ville ? Que nenni ! Un costume noir parfaitement coupé, chemise blanche, cravate, souples mocassins de flanelle et cuir. La classe !

Bien sûr, il sourit. Mais pas un sourire artificiel comme qui vous savez. Lui, une lumière qui vient de l'intérieur, une caresse à l'âme. J'ai immédiatement envie de lui confier mes pieds.

— Madame Line, quelle joie de faire votre connaissance.

— Pas « madame », Line, s'il vous plaît. Et toute la joie est pour moi.

Bluffée, Colomba ! D'une seule pièce, sa mère. Toute l'une, toute l'autre comme on dit. Et il est vrai qu'après l'exhibitionnisme effréné de la Clochette la calme retenue de Yuan agit comme un baume sur mes nerfs. Je me jure de ne plus jamais l'appeler Po Po.

Notre petit groupe s'ébranle, lui entre la mère et la fille. Qui prétend que les Asiatiques sont petits ? Un peu moins grand que ma géante, un peu plus que mon petit modèle : parfait !

Inutile de lui faire l'éloge du « parc », son œil agile note tout. Ne s'attarde-t-il pas sur Paul ? On sait combien la fleur a d'importance dans l'art chinois, il faudra que je me renseigne. Et voici qu'il s'arrête, désigne la pelouse.

– Line, connaissez-vous le kung-fu ?

J'avoue humblement mon ignorance et apprends qu'il s'agit d'un art martial destiné à attirer sur soi et sur son entourage les énergies positives. Si sa candidature est, par bonheur, acceptée (pas lui qui m'offrirait des crayons de couleur pour m'acheter), l'autoriserai-je à y pratiquer son art, le matin, au lever du soleil, dans la rosée ?

– Bien sûr. Ce jardin est le vôtre !

K-O, Colomba ! Mais qui l'a offert, sur un plateau, à une toxico de l'eau ?

Et ce n'est pas Yuan qui se précipiterait sur mes joues pour me remercier. Il se contente de me regarder en portant les deux mains à son cœur. Plus jamais je ne l'appellerai Sushi.

Sans en rajouter, il a apprécié l'atmosphère de la châtai-gneraie, cette belle et vaste pièce où chacun pourrait à la fois définir son propre espace et le partager avec l'autre. Ce confortable coin-canapé face au grand écran. Cette sono. Sans compter la cuisine, si bien équipée ! Avais-je déjà goûté aux raviolis de porc à la vapeur ? Non ? Madame Colomba non plus ? À l'occasion, il se permettrait de nous en expliquer la recette.

À l'étage, je l'ai dirigé tout naturellement vers la chambre du milieu, la plus grande, en un mot la matrimoniale. Il a commencé par s'y concentrer quelques secondes, yeux mi-clos, un fin sourire aux lèvres – y percevant une ancienne présence ? Puis il m'a demandé, si bien sûr l'honneur lui était donné de l'occuper un jour, s'il pourrait se permettre d'orienter le lit différemment afin d'éviter les ondes négatives.

Mon lit, mon cher lit, mal orienté durant plus d'un quart de siècle ? Voilà qui pouvait expliquer bien des choses qui s'y étaient plus ou moins bien passées, plutôt moins que plus à la réflexion. Oserais-je lui demander d'orienter mon futon ?

– Pour ma part, la douche me suffira, je laisse aux dames le plaisir du bain, a-t-il déclaré délicatement devant la profonde baignoire, me donnant implicitement l'autorisation de m'en servir (et de deux !), tout en me valant un clin d'œil exaspérant de ma fille.

De retour à la châtaigneraie, il a regretté de ne pouvoir répondre favorablement à ma proposition de prendre un thé. Un patient l'attendait en ville. À nouveau, mes pieds se sont manifestés. Je n'ai pas du tout apprécié le regard rigolard de Colomba. Oubliait-elle que le bel art de la réflexologie nous venait d'Akhenator, deux cent quatre-vingts ans avant Jésus-Christ ?

Elle m'a laissé le soin de raccompagner maître Yuan Sushima au portail. Parvenu à celui-ci, il s'est saisi de mes mains et il a plongé son regard dans le mien.

– Line, vous avez souffert, a-t-il murmuré.

Et toutes les poses, tous les détours, les petites et grandes tricheries, les sourires et les rires forcés pour garder ce qu'on appelle « la face » ont fait exploser mon cœur.

– À samedi, Yuan, ai-je répondu.

12

Il était 15 heures. Colomba et moi commencions à nous inquiéter lorsque, dans un bruit de ferraille, une camionnette brinquebalante s'est arrêtée au portail. En est descendue une femme vêtue de gris-brun, large de hanches, jambes solides, long cou, ressemblant de façon frappante à l'animal qu'elle transportait dans un couffin d'osier.

– Je suis Claudette. Voici Gertrude, nous l'a-t-elle présentée avec fierté.

J'ai passé un doigt sur sa carapace, élargi mon geste.

– Et voici son jardin.

Il n'en fallait pas plus pour lancer l'éthologiste. Tout en cheminant vers la maison, ne perdant rien du paysage, tête mobile, narine en alerte, elle nous a expliqué l'immense avantage de la tortue terrienne sur les autres animaux de compagnie genre chats, chiens, furets ou poissons rouges : une espérance de vie de 100 ans. Ainsi Claudette était-elle assurée de n'avoir pas à la pleurer. Lorsqu'elle se sentirait proche du départ, elle ferait ses adieux à Gertrude en la lâchant dans un jardin suffisamment vaste et approvisionné en plantes où elle trouverait d'autant plus aisément sa pitance que la tortue terrienne est résolument végétarienne, contrairement à sa cousine marine qui peut atteindre trois cent cinquante kilos et engloutit tout ce qui passe à portée de sa voracité.

— Et pourquoi « Gertrude » ? me suis-je enquise.

— Franchement, Line, voyez-vous une tortue s'appeler Anne-Sophie ou Marie-Chantal ? a-t-elle pouffé.

Là-bas, Paul a agité ses houppiers : tout était dit. Nous étions faites pour nous entendre. Qui sait si un jour je ne la lui présenterais pas ?

— Si vous voulez bien, je la laisserai dans le jardin le temps de visiter la maison, a-t-elle décidé peu avant d'arriver à la porte de la châtaigneraie.

— Ne craignez-vous pas de la perdre ? s'est inquiétée Colomba.

— Certainement pas ! Au contraire du serpent, et bien qu'appartenant à la même espèce, celle des reptiles, la tortue n'est pas sourde. Gertrude connaît son nom. Il me suffira de l'appeler.

Et elle a posé son reptile domestique sur la pelouse où, après une brève inspection du terrain, il s'est hâté avec lenteur en direction d'un buisson. J'ai échangé un regard avec ma fille. Sûr qu'on ne s'ennuierait pas avec Claudette !

Dans la maison, claire, nette, précise, elle s'est renseignée sur tout. L'utilisation commune du réfrigérateur-congélateur, des machines ménagères, des placards. Oh, bravo pour le coin-télévision, astucieusement conçu pour permettre aux amateurs de films de ne pas gêner les partisans du silence ! Et cet espace-musique... Claudette se réjouissait déjà d'en profiter… Communication de pensée ? On aurait dit qu'elle sentait que sa candidature était d'ores et déjà acceptée.

– Et pour le ménage, qui s'en chargera ? m'a-t-elle demandé.

Au secours ! Je ne m'étais même pas posé la question, c'est dire la tête de linotte ! À propos, peut-être m'éclairerait-elle sur l'origine de la méchante calomnie.

Bien sûr, le ménage, ma star du net y avait pensé.

Chacun s'occuperait de sa chambre, son linge, sa couette. Pour la cuisine, les partenaires auraient à cœur de ne pas laisser de vaisselle sale derrière eux (lave-vaisselle flambant neuf comme le gigantesque réfrigérateur). Et pourquoi ne passeraient-ils pas, à l'occasion, un coup d'aspirateur dans le living ? En ce qui concernait le gros œuvre, notamment les carreaux, Colomba suggérait qu'ils s'assurent les services d'une femme ou d'un homme (Max) de ménage une à deux fois par semaine. Elle en connaissait de toute confiance. J'ai approuvé.

Restait à montrer sa chambre à la fervente des animaux : celle de Thomas, mon fils apiculteur, amoureux des abeilles – il n'y a pas de hasard ! Elle l'a trouvée tout à fait à son goût : vue sur ciel et jardin (Gertrude). La salle de bains ? Elle n'a fait qu'y passer, elle : douche (et de trois).

De retour à la châtaigneraie, Colomba lui a proposé un café (16 heures, pas encore l'heure du ballon de rosé). Claudette a accepté volontiers.

Tout en le dégustant, nous l'avons écoutée parler avec passion de son métier : l'analyse du comportement des animaux, du plus petit : la fourmi pharaon, au plus grand : la baleine bleue. Plus elle allait, plus, nous a-t-elle confié, nos amis les « pas bêtes » la frappaient par leur loyauté, leur intelligence de vie, leurs qualités de cœur. Tellement plus dignes d'intérêt que ceux qui s'en prétendaient les supérieurs.

Et voilà ! Nous avions l'explication du célibat de notre délicieuse recrue. Pas forcément définitif. Au train où va la société, sans doute un jour proche pourrait-on se pacser avec son animal de compagnie. On l'adopte bien aux États-Unis.

Avant de nous quitter, Claudette s'est renseignée sur ceux qui partageraient les lieux avec elle. J'ai laissé à Colomba le soin de lui présenter Priscille Blondeau. Un auteur de livres pour enfants ? Elle n'avait rien contre (espérons que ça durera). Je lui ai fait l'éloge de Maître Yuan Sushima. Bien sûr, elle connaissait le bel art de la réflexologie. Il arrivait que l'on y ait recours pour certains animaux, notamment le bonobo, grand singe le plus proche de l'homme, très friand de caresses.

Nous avons retrouvé Gertrude, elle friande de végétaux, dans le potager. Fine mouche !

La fourgonnette vient de repartir. Ouf, quelle journée ! Colomba me félicite : nous avons passé, L'Escale et moi, l'examen avec succès. Si je veux bien oublier mon bémol en ce qui concerne Priscille, c'est gagné. On va pouvoir finaliser l'affaire.

Emportée par l'enthousiasme, elle oublie le bémol et enchaîne *allegro presto* sur les prochains rendez-vous.

Mercredi matin, signature des baux dans son cabinet par les divers protagonistes de la belle histoire. Pas de souci, elle viendra me chercher. Après signature, direction ma banque pour déposer les chèques de caution sur le compte co-living ouvert à cette intention.

Après, pourquoi pas un déjeuner de fête ? Elle m'invite. Suivi d'une visite au notaire qui a une bonne nouvelle à m'annoncer : eu égard à mon mari militaire, il a obtenu un échelonnement des sommes à payer pour les droits de succession.

— Ça va, maman, tu suis ?

J'avoue que je décroche un peu, moi et les chiffres, on ne se change pas. Et deux comptes à gérer alors que je me perdais déjà dans le premier... Ne pourrait-elle pas me faire un petit bilan tout simple de ma situation financière ?

— Pas de problème. On y go !

Ce qu'il y a de bien avec ma fille : jamais de problèmes. S'il y en a : réglés sur-le-champ.

Elle sort sa calculette et commence par le passif. Les sommes dépensées pour mettre les lieux à la hauteur de leurs nobles hôtes. Plomberie, électricité, peinture. Achat des machines ménagères. Sans oublier le matelas pour remplacer celui (la honte) de l'ex-lit conjugal.

— Tu suis, maman. C'est clair ?

J'émerge du matelas de la honte quand apparaissent, sur l'écran, des sommes astronomiques. Colomba veut-elle ma peau ? Non, je ne suis plus. On arrête les frais.

Elle rit.

— Mais, mamounette, on est entré dans l'actif ! Le fruit des cautions, plus une estimation de la généreuse participation que te verseront chaque mois tes partenaires pour avoir le privilège de partager ta maison. Bref, il va falloir que tu t'y fasses. Désormais, tu es une femme riche.

13

Que l'on ne vous parle plus jamais de hasard ! Jeudi, alors que femme de Rockefeller et épouse d'Harpagon, vous vous repaissiez des sommes à quatre chiffres versées dans votre cassette co-living, Alma vous a appelée, morte de curiosité, pour savoir comment s'était passé votre week-end-shopping londonien. Pouvait-elle vous faire une petite visite dans la journée ? Votre heure serait la sienne.

Sans vous embarrasser de fastidieuses explications, vous lui avez balancé que vous préfériez la voir en ville où vous aviez à faire. 16 heures à la fameuse brasserie-hôtel Marguerite d'Anjou, non loin de chez elle, vous conviendrait. Banco ? Banco.

En attendant de pouvoir utiliser votre 4 × 4, forte des leçons de Maxence, vous avez, abandonnant Harpagon pour Rockefeller, commandé un taxi afin de vous rendre à Angers. Durant le trajet, bercée par une douce euphorie, vous ne pouviez vous empêcher de penser au triste destin de la pauvre Marguerite. Pas une sinécure de porter la couronne ! Un époux, Henri VI, roi d'Angleterre, loué pour sa vertu, atteint de démence, mis sous les verrous, froidement assassiné par ses adversaires. Un fils unique, Édouard, très espéré, subissant le même sort à 18 ans. La souveraine elle-même, jetée en prison. Et croyez-vous que son père, le « bon » roi René, paiera la rançon pour la libérer ? Que nenni : pas de blé ! Seule main tendue à la pauvre femme, celle de son cousin germain Louis XI, roi de France, qui en profite pour lui piquer tous ses duchés.

Bref ! Tout ça pour finir à l'enseigne d'une brasserie, vous avouerez…

Alma était déjà là, bien carrée sur sa banquette, quand vous êtes arrivée, c'est dire son impatience. Vous avez toutes deux commandé un thé : elle, Ceylan, citron, sans sucre. Vous, Chine, lait, doublement sucré. Des goûts et des couleurs…

Elle portait l'un de ses tailleurs mi-saison grand couturier, chemisier de soie, rang de perles. Vous, jean, t-shirt fantaisie, collier sans autre valeur que sentimentale (la plus importante). D'où vous venait, la regardant, immuable, ce rare et doux sentiment de supériorité ? Était-ce la perspective de la vie nouvelle, riche en imprévus, qui sait ? en aventures, qui vous attendait alors que la sienne, fleuve monotone, aucun écueil en vue, n'était, osons le dire, qu'un puits d'ennui ?

Vous en donnant confirmation, elle n'a pas attendu d'être servie pour supplier.

– Alors, Paul, raconte…

La vérité.

– Pas du tout ce que tu imagines, Alma. Un vieil ami de presque trente ans.

– Qui vit à Londres ?

– Mais non ! Pourquoi ? À deux pas de chez moi.

Elle a eu un rire incrédule.

– Et je ne le connaîtrais pas ?

– Tu ne connais pas tout de ma vie, Alma.

Les failles d'un bracelet électronique...

Elle a mis quelques secondes à digérer.

– Et comme ça, hop ! Vous décidez d'aller faire du shopping à Londres.

– Pas « hop ! ». Tokyo nous tentait aussi. Mais avec le décalage horaire...

Ça lui a claqué le beignet (pardon) le temps que le thé soit servi. Elle a bu quelques gorgées de son Ceylan, vous de votre Chine dont l'étiquette portait le joli nom de « thé câlin ».

– Mais tout ça n'est-il pas hors de prix ? s'est-elle décidée.

– Ouh la la, encore plus que tu l'imagines. Merci à Colomba de m'avoir trouvé des partenaires blindés.

– Tu as donc signé ?

– Mais bien entendu. Un problème, Alma ?

Son visage s'est assombri, elle a douloureusement hoché la tête. Vous vous êtes préparée au pire.

– Vendredi... Tu te souviens... Quand je suis passée chez toi...

– Eh bien ?

– Il m'a semblé apercevoir l'ancien bureau de ton Augustin. N'est-ce pas là que tu comptes t'installer ? Ne crains-tu pas de te trouver un peu à l'étroit ?

Puisqu'elle avait « aperçu » le caveau, ah ah ! inutile de mentir.

– C'est clair. Mais j'aurai toujours la possibilité de m'offrir de jolies escapades ici. N'oublie pas qu'ils font hôtel.

Tchac ! Escapades cinq étoiles, salle de bains avec baignoire queen-size, p'tit déj' au lit.

Un peu plus tard, vous avez pris des nouvelles de sa famille, son Baudouin (pour mémoire, saint Baudouin lâchement assassiné comme l'époux de Marguerite), sa nombreuse progéniture. Ses joues ont retrouvé des couleurs. De ce côté-là, aucun souci, tout roulait !

Comment aviez-vous pu imaginer qu'un jour votre amie viendrait vous demander de l'aide ? Les couples comme le sien sont indestructibles, leurs enfants droits dans leurs Nike. Faisant l'admiration de leur entourage, ils surmontent toutes les épreuves. L'âge venu, choyés par leur descendance, ils prennent une retraite dorée dans des Hespérides, s'offrant de loin en loin une croisière au bout du monde pour faire un pied de nez au temps. Un exemple pour tous.

Il était déjà 18 heures. Tout en buvant une dernière gorgée de Ceylan, n'oubliant pas le but de son appel, Alma a fait une ultime tentative.

– Ton Paul, tu me le présenteras ?

– Pardonne-moi, Alma, mais il préfère garder l'anonymat.

Oh, à propos, vous aviez un petit service à lui demander ! Suivant ses conseils, vous aviez décidé de vous autoriser un peu de coquetterie, en commençant par vos cheveux, trop longs, retenus par un élastique, qu'elle n'hésitait pas à qualifier de « queues de rat ». Même si votre Augustin ne s'en formalisait pas (qu'est-ce que tu nous as fait de bon pour dîner ?)...

Ne vous avait-elle pas proposé cent fois de vous recommander à son coiffeur-visagiste, vous promettant qu'au sortir de ses mains vous auriez gagné dix ans ?

Eh bien, vous étiez prête à l'écouter. Vous souhaitiez vous y rendre dès demain, veille de l'arrivée de vos partenaires. Pourrait-elle s'occuper du rendez-vous ?

– Demain ? Mais tu rêves, Line (oui). Le planning de Roméo (!) est bouclé des jours à l'avance. Et un vendredi en plus...

– S'il te plaît, Alma. Ne m'as-tu pas dit qu'il ne te refusait rien ?

Honneur en jeu, elle a sorti son portable, parlé d'une « amie très chère », obtenu le rendez-vous pour le lendemain à 16 h 30. Forte, Alma !

– Surtout, sois précise. Et rappelle que tu viens de ma part. J'espère que tes partenaires... et Paul apprécieront.

Pour la remercier, spontanément vous lui avez sauté au cou, la laissant pantoise. Et après avoir commandé un taxi au garçon, vous l'avez achevée en insistant pour payer l'addition.

14

Vendredi, veille du jour J, temps calme, ni vent ni pluie (important pour la suite), un appel de ma fille me tire du futon à l'aube. Je suis très demandée.

– Ave, maman. J'espère que je ne te réveille pas (si !). D'accord pour accueillir sans moi tes partenaires demain ? Avec tout ça, j'ai pris un retard noir dans mon boulot (qui l'a voulu ?) et de toute façon, je vois pas ce que je pourrais t'apporter de plus. Si, un conseil ! T'invites tout le monde dès dimanche à un déjeuner at home : un repas fait de tes blanches mains. Ça mettra du liant. Et te complique pas la vie : genre pique-nique crudités-jambon. Une bonne tarte pour finir. Tout le monde va a-do-rer.

Elle rit :

– Oublie pas l'eau minérale pour Priscille. Je te parie que Claudette dira pas non à un ballon. Quant à ton cher Yuan Po Po, prévois du thé.

Je lui fais remarquer sèchement que le « Po Po » est définitivement abandonné. Et ce déjeuner liant de dimanche, si elle venait le partager ?

– T'es grande, maman ! Et je te rappelle que j'ai une vie privée (Max). À propos, fais-toi belle.

Comme si je l'avais attendue pour y penser.

Grande, belle et riche, madame Harpagon, épouvantée par le prix des taxis de la veille, plus la note du Marguerite d'Anjou, a enfourché son vélo – ni vent, ni pluie – pour se rendre chez Roméo. On n'est jamais trop prudent, aussi l'ai-je planqué à un kilomètre de là, près de la chapelle Saint-Éloi, au cas où Alma patrouillerait dans les parages. Le pauvre saint Éloi appelé communément saint Éloi du boudin ou saint Éloi des fraises, en raison de sa double fête, l'une le 1er décembre, l'autre le 21 juin. Le respect se perd.

En passant, je me suis arrêtée quelques minutes dans une librairie où j'ai acheté en édition de poche *L'Art du feng shui pour débutants*, que j'ai glissé dans mon sac. Il n'est jamais trop tard pour s'instruire.

Pas moyen de manquer la vitrine du salon de coiffure : un feu d'artifice. Avant de m'y produire, un peu intimidée, j'ai rajusté ma doudoune, vérifié les lacets de mes Nikezoom et tenté de faire bouffer mes queues de rat.

Quels que soient nos efforts, inutile d'espérer changer notre nature profonde. Pénétrant dans le temple du cheveu sous les regards circonspects des belles dames en peignoirs noir et blanc – royal échiquier – ; je redevenais le simple petit pion, la gamine mal fagotée, en proie aux sarcasmes des premières de la classe. Un instant, j'ai songé à faire demi-tour. La voix d'une femme imposante, tout de gris vêtue (la dirlo ?), m'en a empêchée.

– Vous avez rendez-vous, madame ?

J'ai avancé d'un pas.

– Mme d'Ablecourt a appelé hier pour moi.

Le nom magique a arraché un sourire à mon interlo-cutrice.

– Vous êtes madame Peraldi, c'est ça ? (Quel nom !) Et que vous fera-t-on ?

– Je ne sais pas, ai-je avoué piteusement. Je dois voir ça avec monsieur Roméo.

– Pas MONSIEUR. Roméo, pour vous servir, a protesté une voix masculine.

Et, comme par magie, un homme d'une cinquantaine d'années, pantalon noir, chemise blanche, moustaches recourbées sur les côtés, yeux de velours, a surgi devant moi.

Répondant à son geste autoritaire, une jeune fille s'est précipitée et m'a arraché ma doudoune.

– Si vous permettez... a dit Roméo.

Délicatement, il a ouvert la barrette retenant mes che-veux qui se sont répandus lamentablement sur mes épaules. Tandis qu'il me tournait autour, un pas en avant, un pas sur le côté, un pas en arrière, évaluant le désastre, tous les regards étaient à nouveau fixés sur moi, attendant avec gourmandise le verdict.

Il est tombé.

– Vous avez des cheveux magnifiques, madame !

Mêlés de fils blancs imposant une couleur. Légèrement clairsemés, nécessitant un traitement antichute. Réclamant de toute urgence une coupe sérieuse pour mieux encadrer mon visage. Et bien sûr une mousse pour faire tenir le brushing dont il se chargerait lui-même ainsi que de la coupe.

Roméo m'a confiée à son assistant, les clientes se sont replongées dans leurs magazines. Moi, adoubée ? Des leurs ?

Peignoir noir pour la couleur, celle d'origine assortie à mes yeux : châtain. En y ajoutant une nuance de doré qui changerait tout. Trente minutes de pose. Tandis que le mélange « prenait », une jeune Asiatique (tiens !) s'est chargée de mes mains – cadeau de la maison pour un premier passage – et elle a libéré mes ongles des vilaines petites peaux qui les empêchaient de respirer, avant de les recouvrir d'un joli rose nacré. Je me demande bien pourquoi, ça m'a fait penser à mes pieds. Qui n'a jamais eu honte de ses orteils ? Il faudrait que je m'en occupe.

Peignoir blanc pour la coupe-brushing, effectuée par le maître. Les mains de Roméo virevoltaient autour de mon visage. De longues mèches tombaient sur le sol comme autant de rats morts. Alma applaudirait. Puis brosses et sèche-cheveux sont entrés en action. Était-ce moi, cette dame en son buisson de boucles ? Pour les dix ans de gagnés, je ne sais pas. Pour les dix centimètres de plus en hauteur avec le crêpage montgolfière, certainement. Ensemble consolidé par de nombreux jets de laque.

– Cela vous plaît, madame ?

Roméo me présentait un miroir. Lui, de toute évidence, satisfait de son ouvrage. Moi ? Ne sachant que répondre, je me suis contentée d'opiner lourdement du bonnet.

La « dirlo » ne s'était-elle pas trompée d'un zéro en ma défaveur dans la note qu'elle me présentait, pourboires à la discrétion de la cliente, remise d'une carte de fidélité me donnant droit, à l'issue de dix séances, à une manucure gratuite ?

Était-ce bien moi que les vitrines des magasins reflétaient ? Feu d'artifice, artifice, artificielle ?

Ce sifflement masculin m'était-il destiné ? Ironique ou admiratif ?

Retrouvant mon deux-roues à l'ombre de Saint-Éloi, son dicton m'est revenu à la mémoire : « Si à la Saint-Éloi tu brûles ton bois, tu auras froid pendant trois ans. » Curieusement, même si le printemps frappait à la porte, et malgré la nuance dorée « qui changeait tout », soudain, j'ai eu froid.

Maxence achevait de fixer les nouvelles boîtes aux lettres sur les poteaux du portail quand je suis rentrée.

– C'est vous, Line ? J'ai failli ne pas vous reconnaître, s'est-il exclamé quand j'ai mis pied à terre. Qu'avez-vous fait à vos cheveux ?

– Une petite cure de rajeunissement. T'en penses ? La vérité, s'il te plaît.

– C'est sûrement très joli, sauf que c'est pas vous.

Et, n'en déplaise aux premières de la classe, adoubée ou non, la petite fille pas comme il faut lui a sauté au cou.

15

On ne prête pas suffisamment attention aux détails alors que ce sont eux qui impriment dans notre mémoire les moments cruciaux de notre vie.

Cette fabuleuse rencontre qui va en chambarder le cours, trois paroles d'une chanson, un air de guitare, le sanglot d'un violon, nous la rappelleront à jamais. La douleur de ce deuil ou de cette rupture reviendra nous frapper au cœur dans le sillage d'une odeur quelconque surgissant au coin d'une rue ou au cours d'une promenade. Sans compter les moments magiques d'enfance qu'éveillent, avec une douceur inouïe, un tapis d'aiguilles de pin tiédies par le soleil sous nos pieds, ou quelques grains de sable d'une plage sur une tartine.

Et c'est bien ce que j'avais cru n'être que des détails sans importance qui, ce samedi 14 mars, m'ont fait réaliser l'imminent bouleversement de ma vie. Tout simplement en prenant mon petit déjeuner dans le calme de la cuisine, en pyjama, ni coiffée ni maquillée... pour la dernière fois.

Demain et les jours qui suivraient, j'y croiserais forcément l'un ou l'autre de mes partenaires. Il me faudrait sourire, au moins dire bonjour, alors que j'ai envie de trucider toute personne osant se présenter à moi avant que j'aie terminé mon café au lait.

Terminés également les plateaux-télé du soir devant mon feuilleton, fagotée à la diable, applaudissant, riant à gorge déployée ou pleurant à gros bouillons sans crainte d'être moquée. Il y en aurait forcément un qui mobiliserait l'écran. Sans compter le tintamarre des casseroles ou autre vaisselle de ceux qui s'affaireraient à leur frichti. Tiens ! Et si j'allais avec Max acheter un mini-poste qu'il brancherait clandestinement sur l'antenne de la maison ?

Bref ! C'est dire qu'en prenant le café de la condamnée j'avais le moral dans les chaussettes. D'autant qu'un coup d'œil dans le miroir m'avait révélé la catastrophe : une montgolfière à demi détruite par ma nuit. Face est, côté sur lequel je dors, totalement aplatie, face ouest, prospérant insolemment. Comment Alma faisait-elle pour garder l'équilibre ? Dormait-elle assise près du pauvre saint Baudouin ? Encore un secret de première de la classe que je ne percerais jamais.

Et n'aurais-je pas mieux fait de suivre ses conseils : vendre, acheter un studio en ville ? Était-ce raisonnable de m'être accrochée à ma maison pour l'amour d'un arbre, un jardin, un bout de ciel, un couplet de chanson d'une rivière à moi ?

*

En attendant, il est 7 h 30. Parions que la Clochette sera la première à se présenter. Et si j'allais faire un petit coucou à Paul pour me remonter le moral avant de m'habiller ? Voir si le soleil sera au rendez-vous en cette journée de deuil de ma tranquillité ?

J'enfile un peignoir sur mon pyjama, glisse mes pieds dans mes chers et vieux chaussons qu'il me faudra trahir en les cachant aux autres. Allons, Line, t'es grande ! Arrivée à la porte de la châtaigneraie, d'un mouvement résolu, je l'ouvre à deux battants et claque les volets (percés de cœurs) contre le mur.

Ciel !

Au centre de la pelouse (mouillée de rosée) un homme tout de clair vêtu, jambes écartées, genoux pliés, brandit une sorte de sabre dans ma direction. Aucun doute, Yuan pratiquant le kung-fu, envoyant vers la maison des énergies positives.

Me voyant apparaître, il abandonne son arme, avance à grands pas vers moi, paralysée par la honte (chaussons troués, demi-montgolfière, visage nu). Encore heureux que je n'y aie pas appliqué mon masque au concombre, souverain pour retendre la peau (esthétique du pauvre).

Il prend ma main. Je ne respire plus. C'est alors qu'il prononce ces paroles inoubliables :

– Combien ai-je attendu ce jour, Line !

Et je m'entends répondre :

– Moi aussi.

S'il s'était permis de venir de si bon matin, c'est qu'il souhaitait déposer ses quelques bagages à L'Escale avant de donner son cours hebdomadaire de réflexologie à une association pour le « mieux vivre » d'Angers. Avec mon autorisation, il les monterait dans sa chambre et les déferait tranquillement ce soir. Il a accepté ma proposition de l'aider, tiré plusieurs sacs de sa voiture électrique et m'en a confié deux parmi les plus légers, « et les plus précieux », a-t-il ajouté. Quelques statuettes en ivoire et une lampe à encens avec ses bâtonnets.

Sur le chemin de la maison, je lui ai montré l'espace-parking qu'il partagerait avec Claudette en attendant que le bûcher soit libéré pour l'hiver (Max).

La châtaigneraie fleurait bon le café, je l'ai précédé dans l'escalier et j'ai posé mon fardeau à la porte de la chambre. Il m'a rejointe. Curieusement, ma tenue ne me gênait plus. Après tout, lui aussi était en pyjama, quasiment pieds nus dans ses tongs.

– Avant d'entrer mes bagages dans la chambre, je me permettrai d'orienter le lit dans la bonne direction selon l'art millénaire du feng shui, a-t-il décidé.

Je l'ai suivi, me félicitant d'en savoir un peu plus sur l'art millénaire grâce à mon achat de la veille, feuilleté durant ma nuit blanche. Qui sait – à part les bobos qui s'en sont emparés, ainsi que du vintage – qu'à l'origine du mot « feng shui » il y a le vent et l'eau ? Et que c'est le juste équilibre des deux forces qui favorise la circulation de l'énergie ?

Debout au centre des lieux, Yuan s'est concentré un long moment, yeux mi-clos, tandis que j'admirais le magnifique matelas neuf dont j'avais, à plusieurs reprises, testé le moelleux en prévision de ce jour. Puis, tranquillement, il a fait

86

naviguer d'un mur à l'autre le sommier à roulettes pivotantes (achat d'Augustin qui n'aimait pas gaspiller ses forces à la maison) tout en m'expliquant sa démarche. Un lit bien orienté favorisait la santé, le bien-être et la prospérité de celui qui l'occupait. Dans tous les cas, il était fortement déconseillé de dormir face à la porte ou trop près de la fenêtre. Et mieux valait avoir la tête au nord qu'au sud.

L'opération terminée, il s'est tourné vers moi.

– Asseyez-vous, Line, m'a-t-il ordonné avec une douce autorité en désignant le matelas.

Je me suis exécutée.

– À présent, fermez les yeux.

J'ai fermé. Ça tanguait un peu.

– Vous pouvez les rouvrir, a-t-il poursuivi après quelques secondes.

J'ai entr'ouvert.

– Que voyez-vous ?

– Ma chambre.

Tabernacle[1] ! je m'étais coupée. Trop tard. Oui, Yuan, ma chambre.

– Notre espace, maîtrisé d'un seul regard. Aucun coin sombre ou menaçant. La condition essentielle pour avoir une bonne maîtrise de sa vie, a conclu le maître.

Je n'ai pas répondu, accablée. Vingt-huit ans de vie face à la porte, côté fenêtre, orientation sud. C'est dire que pour la prospérité, la santé et le bien-être, nous étions, Augustin et moi, passés totalement à côté.

Yuan m'a tendu la main pour m'aider à me relever.

---

1. Joli juron québécois.

– Les regrets sont vains, Line. Quand vous le souhaiterez, nous verrons ensemble l'orientation de votre lit. Au rez-de-chaussée, m'a confié Colomba ?

Les regrets sont vains. Je méditai ces paroles si pertinentes. Si j'avais conservé ma chambre, n'aurais-je pas continué à subir les ondes néfastes ? Celles qui, de toute évidence, avaient emporté avant l'heure mon pauvre mari ? Alors que, de constitution plus forte, comme souvent les petits formats, j'avais, pour ma part, été épargnée ?

Yuan est redescendu en tenue de réflexologie. Il a déposé sur son étagère, au centre du réfrigérateur, deux petits sacs, l'un contenant du soja, l'autre du ginseng, ainsi qu'une côtelette de porc sous plastique.

Il me l'a désignée :

– Une viande délicieuse. Un jour, si vous le voulez bien, je vous cuisinerai des travers au miel.

J'ai sauté sur l'occasion pour lui proposer, suivant le judicieux conseil de ma fille, de partager le déjeuner de dimanche avec ses partenaires et moi.

– Je serai des vôtres avec joie.

– Et une tasse de thé avant de nous quitter ?

Hélas, son horaire ne le lui permettait pas.

Pour se faire pardonner, il m'a tendu un joli petit paquet-cadeau à ouvrir après son départ (pas lui qui me l'aurait offert avant de voir sa candidature acceptée). Je l'ai suivi des yeux jusqu'au portail. Sa voiture s'est envolée sans bruit.

Le paquet contenait un bracelet de jade, pierre semi-précieuse à laquelle on prête de nombreuses vertus dont celle de guérir les calculs et les coliques néphrétiques, favoriser le succès, aider à trouver la paix intérieure. Jade, un nom devenu furieusement tendance depuis qu'un rocker célèbre l'a donné à sa fille.

J'ai glissé le bijou à mon poignet et j'ai attendu la suite avec sérénité.

16

La fourgonnette-bazar de Claudette s'est arrêtée vers 11 heures devant le portail. Elle en a tiré deux grosses valises à roulettes et son panier à tortue terrienne. Après m'avoir broyé la main, elle m'a demandé si elle pouvait laisser Gertrude prendre immédiatement ses quartiers dans le jardin. Aucun risque de la voir s'introduire dans la maison, monter des marches ne faisant pas partie de ses nombreux dons contrairement aux rats qui se font la courte échelle.

Mais bien sûr, elle pouvait ! N'était-ce pas désormais SON jardin ?

Forte de mon expérience positive avec Yuan, je lui ai proposé de l'aider à porter ses bagages.

– Non, merci, Line. Je préfère me débrouiller toute seule. Et je connais le chemin. Ah, top, ta nouvelle coupe, a-t-elle ajouté en visant mes cheveux.

Ah bon ? On se tutoyait ? Quelle bonne idée !

J'ai repris mon poste de guet dans mon transat auprès de Paul. Tout en faisant semblant de lire, je pouvais la voir aller et venir en sifflotant de son véhicule à la maison et il me semblait qu'elle l'habitait depuis toujours. Le propre des Madame Tout-le-Monde : se fondre dans nos paysages.

Lorsqu'elle a eu terminé, je lui ai offert à boire : jus de fruits ? limonade ? pourquoi pas un ballon de rosé ?

— Okay pour la limonade. Pour le ballon, il me faut garder la tête froide, a-t-elle répondu.

En effet, elle participerait, à l'heure du déjeuner, à une manifestation contre l'élevage intensif. Dans le viseur, un hangar en pleine nature où l'on engraissait des veaux enfermés dans des box minuscules, où ils ne voyaient jamais ni l'herbe ni le jour.

— Une honte ! Alors que le veau est un animal si attachant, si sensible et tourné vers l'autre.

Puisqu'on parlait de nourriture, elle avait déposé quelques aliments sur son étagère du frigo (chambre numéro 3 ; troisième étagère). J'en ai profité pour lui dire combien je serais heureuse si elle participait, demain dimanche, à un déjeuner commun.

— Mais avec joie ! Si je peux aider...

Sur ce, elle a vidé son verre de limonade citronnée et elle s'est envolée pour sa manif.

À peine la fourgonnette disparue, je me suis précipitée sur le réfrigérateur, prise d'une soudaine angoisse : l'éthologue, amie des veaux, serait-elle végétarienne ?

Trônant entre laitages et agrumes, une belle aile de poulet m'a rassurée. Ouf, et de trois !

Trois contre une ? Contre la Clochette ? Même si mon instinct de psycho-traqueuse me criait que, de ce côté-là, les choses ne seraient pas aussi simples, je m'en suis voulu. Après tout, qu'avait-elle fait de mal sinon piquer une crise de delirium tremens quand j'avais parlé d'eau de Javel et m'offrir un cahier de coloriage débile ?

Colomba a appelé un peu plus tard.

– Tout se passe comme tu veux, mamounette ?

– Jusque-là, super cool ! Et de deux installés. Devine qui manque ?

– Vu ton enthousiasme, la Clochette, c'est ça ?

Voilà qu'elle l'appelait comme moi. Ça m'a fait chaud au cœur.

– Pour ne rien te cacher.

– Tiens-moi au courant. Et te prive pas d'un p'tit ballon pour fêter ça.

Pour fêter quoi ? Et arrêtez de penser que ma fille est alcoolo. Elle aime célébrer la vie, c'est tout.

Quant au ballon, pourquoi pas ?

17

Ai-je fait un petit somme ? Quand j'ouvre les yeux, je suis dans mon transat tout contre Paul. Ses houppiers frémissent, des senteurs de printemps circulent, il fait délicieux : le paradis. Au loin, quatre coups bien timbrés sonnent à un clocher.

4 HEURES, ai-je bien entendu ? Ballon sur nuit blanche et émotions, merci, Colomba !

Mon Dieu, et Priscille ?

Saisie de panique, je me redresse et scrute l'horizon. Aurait-elle profité d'une sieste innocente pour s'introduire en douce chez moi – pardon, chez elle ? C'est qu'elle en serait bien capable ! Sous prétexte de ne pas déranger, ah ah !

Portail fermé, porte de la châtaigneraie itou, ouf ! En douce ou non, si elle était entrée je l'aurais entendue. Contrairement à mon ex, je ne suis pas encore cliente des boutiques de prothèses auditives. Et ne parlons pas de sa vue qui commençait sérieusement à baisser. À y réfléchir n'a-t-il pas mieux fait de partir ? Quoi de pire que de vivre diminué, surtout pour un ancien militaire.

Bref ! 16 heures et pas de Clochette !

Pas normal.

Encore moins qu'elle ne m'ait pas appelée pour m'avertir de son retard. N'a-t-elle pas mes deux numéros ? Celui de mon portable et celui du fixe ?

Un loup, comme on dit ? Et pas un petit, un gros, un féroce, de ceux qui bouleversent tous vos plans, tel celui, ardemment caressé, d'emménager dans la demeure de vos rêves ? Oui, un drame, appelons les choses par leur nom.

Accident de vélo ? Genre conducteur de poids lourd qui brûle un feu sous l'effet de l'alcool et vous réduit en bouillie ? Cruel décès d'un proche, anéantissant tous vos projets : priorité à la famille ? Coup de tabac dans vos finances, banqueroute et disparition de votre fidèle conseiller ?

Vingt ans passés auprès d'un gendarme vous ont, hélas, appris qu'il faut toujours s'attendre au pire.

Pauvre, pauvre Priscille ! Je me jure de ne plus jamais l'appeler la Clochette.

Bon, bien, assez pleurniché, du concret : que puis-je faire pour elle ?

Avant toute chose, régler son problème de co-living. Me résoudre à puiser, dès ce soir, dans le vivier, un rescapé qui se précipitera, éperdu de reconnaissance, pour prendre la place libérée. Ce qui me permettra de rembourser sa caution à la conteuse : toujours ça qui lui restera.

Et si je l'appelais pour lui annoncer la bonne nouvelle ? Mais sera-t-elle seulement en état de me répondre ? Toute chance que je tombe sur sa messagerie. Pour lui laisser quel message ? Non ! Mieux vaut avertir Colomba. Ne m'a-t-elle pas demandé de la tenir au courant de la suite des événements ? Et si Priscille trouve la force de m'appeler, je me jure de la tutoyer.

Mais alors que je cherche mon portable, sujet à s'égarer dans les endroits les plus improbables, voilà qu'un tremblement de terre me fait jaillir de mon transat.

Une sorte de roulotte, nom donné autrefois au moderne camping-car, tiré par une voiture-épave, avance pesamment vers L'Escale, pile devant le portail. Trois individus s'en extirpent, style bohémiens. Il me faut me rendre à l'évidence, l'un est une bohémienne : la Clochette en pleine forme.

Sans façon, utilisant sa clé, elle ouvre grand le portail. Aurait-elle l'intention d'entrer sa roulotte dans ce jardin ? Pas prévu. Je me précipite, évite de justesse ses bras larges ouverts.

– Ah, Line ! Pardon d'avoir tant tardé. J'espère que tu ne t'es pas trop inquiétée. Permets-moi de te présenter les amis qui vont m'aider à m'installer.

Amis qui se jettent sur mes joues :

– T'en fais pas, Line, on s'occupe de tout.

Avant que j'aie pu réagir, ils tirent de leur caravane un engin à roulettes à juste titre appelé « diable », sur lequel, guidés par la diablesse, ils empilent gaiement une quantité de sacs et de paniers débordants de vêtements, linge et objets divers, dont une bombonne d'eau ventrue munie de son robinet.

Je galope jusqu'à la maison dont j'ouvre la porte à deux battants – peinture fraîche –, grimpe quatre à quatre l'escalier pour éviter qu'ils ne se trompent de chambre, la Clochette chambre numéro 1, ex de ma fille (elle l'aura voulu).

Ils sont déjà à mes basques, il ne me reste plus qu'à me laisser envahir, regard fixé sur mon bracelet de jade, dans l'espoir de retrouver une sérénité perdue.

*

— Je peux déposer quelques aliments dans le réfrigérateur ? a demandé Priscille.

Je me suis levée afin de lui indiquer de quelle étagère elle disposait, en profitant pour mettre en valeur la belle aile de poulet de Claudette et la solide côte de porc de Yuan. Ai-je inventé son recul ? Elle a aligné sur la sienne une série de mystérieuses boîtes hermétiquement fermées.

— C'est que tout ne tenait pas dans la petite glacière que je me suis permis d'installer dans ma chambre, a-t-elle expliqué. Tu comprends ?

Sept sur sept ! Si chacun branchait sa glacière perso dans sa chambre, le compteur d'électricité exploserait, la note avec.

Comme lisant dans mes pensées, elle a désigné l'engin pourvu de roues et de guidon que ses compères introduisaient, non sans mal, dans la maison.

— Mon vélo d'appartement lave-linge. Alliant le sport, le respect de la fibre et l'économie d'énergie. Si tu veux, tu pourras l'utiliser. Quant au séchage, on n'a pas encore trouvé mieux qu'un joli fil tendu entre deux arbres.

Paul transformé en sèche-linge ? Moi vivante, jamais !

Comment avais-je pu oublier l'enthousiasme de la Clochette découvrant le potager et la promesse de Colomba qu'elle pourrait en disposer ? L'emménagement s'est terminé par une sorte de cabane, censée abriter de précieux semis, qui y a été déposée religieusement par ses acolytes.

Tandis qu'ils évoquaient avec feu de futures et incomparables récoltes, un fâcheux incident diplomatique s'est produit : Gertrude, sortant paisiblement d'un plant d'oseille.

La Clochette a émis un son fêlé.

— Serait-ce…

— Une tortue terrienne, appartenant à Claudette, votre partenaire, militant actuellement pour le bien-être des veaux, ai-je répondu tout de go. Un problème ?

Comme lorsque j'avais évoqué les bienfaits de l'eau de Javel, il m'a semblé voir passer dans le regard de mon interlocutrice un éclair meurtrier. Éclair partagé par ses comparses. Même combat ? À mon poignet, le bracelet de jade a doucement chauffé. Zen !

— C'est que les tortues… a bredouillé Priscille.

— Sont végétariennes et affectionnent les potagers, contrairement à leurs grandes sœurs marines qui s'empiffrent de leurs congénères. Mais je suis certaine que Claudette aura à cœur d'arranger ça.

La chance a voulu que l'éthologue nous revienne à cet instant, passablement dépenaillée et dégageant une forte odeur de lisier. Les présentations ont été faites et le problème exposé.

— Pas de souci, je m'en occupe, la douche attendra, a-t-elle déclaré à la Clochette qui se bouchait le nez.

Tandis que je gardiennais Gertrude, elle a fait le tour du grillage et, avec l'aide des garçons, réparé le trou par lequel sa fille avait violé le potager-culte, en profitant pour consolider la porte, bricolée par Augustin afin d'éviter que les lapins ne se servent.

La roulotte est repartie, Claudette est montée se doucher, après avoir rentré son vélo (pas lave-linge) dans le bûcher, Priscille a gagné sa chambre. Avec tout ça, j'avais oublié de lui parler du déjeuner-fête de demain.

*

Yuan a été de retour peu avant 20 heures. Il avait dîné, pas moi, pas faim.

Je lui ai présenté l'éthologue. Très vite, il nous a souhaité une bonne nuit et il est monté défaire ses sacs dans sa chambre.

Un peu tristounette, j'ai réintégré la mienne. De mon buisson-ardent, j'ai pu voir Claudette dévorer son aile de poulet, sans se servir de fourchette, devant la télé. Quel programme ? Je ne le saurais jamais mais ça avait l'air gai.

Là-haut, Priscille a éteint la première, suivie de peu par Yuan. Claudette a lambiné jusqu'à minuit.

Transie, j'ai regagné mon abri, mon refuge, mon terrier.

Plus jamais je ne l'appellerais « le caveau ».

18

Midi trente, dimanche. Quatre couverts sur la table de la châtaigneraie, habillée pour l'occasion de sa plus belle nappe.

À ma droite, Yuan, chic et décontracté dans son pantalon de toile beige et sa chemisette à carreaux bleu et blanc. En face de nous, Claudette et Priscille – qui s'est montrée ravie de partager le déjeuner commun. Arrive-t-il à Claudette de porter autre chose qu'un jean ? Pour le haut, elle a fait un effort avec un sweat sur lequel danse une craquante petite souris. Priscille est, sans surprise, en tenue de fée Clochette dans une robe fleurie et des sandalettes à brides.

Après moult hésitations – ne dois-je pas honorer mes hôtes en tant que maîtresse de maison ? –, j'ai choisi une ex-tenue de Noël : longue jupe noire et chemisier groseille qui faisait dire à Augustin que j'étais à croquer (même s'il allait croquer ailleurs : porte dérobée). Problème « montgolfière » réglé à l'aube par douche et brushing fait main. Au crédit d'Alma, elle a vu juste pour la coupe-dix ans de moins. Le marchand de primeurs du marché me l'a confirmé ce matin.

– « Mademoiselle » a coupé ses fanes ? a-t-il remarqué galamment en tranchant celles de mon bouquet de carottes.

Carottes, céleri, tomates et haricots verts sont disposés dans de jolis ramequins au centre de la table, entourant un beau plat de jambon à l'os. Plateau de fromages et tarte Tatin tiédie au four au dernier moment compléteront le festin.

Côté boissons : eau minérale, Coca et vin rouge de Maine-et-Loire, dit « vin tranquille », dont j'ai eu la bonne surprise de trouver quelques bouteilles à la cave, à l'abri d'une antique chaudière et de nombreux cageots pourris (à vider avec Max). Au cas où il y aurait des amateurs, j'ai acheté un assortiment de thés de Chine.

« Tu dis deux mots de bienvenue avant d'attaquer et le tour est joué », m'a recommandé ma fille.

Deux mots que j'ai tournés et retournés dans ma tête au cours de la nuit.

Le moment est venu de les prononcer : debout, Line ! Pas sûr que j'aurais dû choisir cette jupe sombre de Noël : deuil de fête d'enfance. Le silence se fait.

– Nous voici donc réunis pour un premier repas en commun qui sera, je l'espère, suivi de nombreux autres. Merci à tous.

D'accord, d'accord, ce n'est pas du Shakespeare, ni même du Sagan. Et je ne suis pas sortie de l'ENA. Mais deux mots, c'est deux mots et si je savais brasser du vent pendant des heures à la télé comme certains, je n'en serais pas réduite à louer ma maison à des inconnus blindés.

Face aux mines déçues, j'ajoute un « Le personnel ayant congé le dimanche, chacun se sert et bon appétit », salué par quelques hochements de bonnet et je reprends place sur mon siège. C'est parti pour le déjeuner liant.

Prenant le relais, Yuan s'empare de la bouteille de « vin tranquille ».

– Une petite promenade dans le Maine-et-Loire ?

Voilà qui est parlé ! Claudette et moi tendons nos verres. Priscille recouvre le sien de sa main tout en montrant du menton le carafon d'eau minérale tirée de sa bombonne à robinet. Lorsque Yuan se sert à son tour, j'ai envie d'applaudir. On peut être maître en réflexologie et apprécier les petits plaisirs de la vie.

Il lève son verre.

– Quing quing !

– Joli ! apprécie Claudette. Et que diriez-vous de boire à la santé du rat-taupe ?

Le rat-taupe ? Dans le silence, trottine la souris danseuse de son sweat.

– Savez-vous que c'est grâce à sa peau élastique que l'on a découvert que deux verres de vin rouge quotidiens étaient excellents pour la santé ? nous éclaire l'éthologue. Peau protégée par un acide proche de la pulpe de raisin qui assure à notre rongeur une longévité exceptionnelle.

Elle frappe son verre qui chante :

– Ainsi peut-il vivre jusqu'à 30 ans alors que le rat ordinaire dépasse rarement les 4.

Waouh ! Presque dix fois de plus d'espérance de vie grâce au vin rouge. Il faudra que j'en parle à Colomba. Ballon de Maine-et-Loire contre rosé d'Anjou, ça devrait pouvoir se faire.

Sur la bonne nouvelle, chacun y va de son piochage :
« assiette anglaise » (Londres ?), un assortiment de tout,
fromage inclus. Pour Priscille, ni jambon ni fromage, quatre
petits tas de mes salades qu'elle dispose sur son assiette,
appliquée comme une collégienne.

Nous attaquons avec appétit.

– Si vous permettez… nous interrompt-elle.

D'une pochette placée près de son assiette, elle sort un
pendule au bout d'une chaînette et le promène tour à tour
sur chaque légume. Ne dirait-on pas qu'elle prie ? Il me
semble voir Claudette et Yuan échanger un regard entendu.
Que savent-ils que j'ignore ? Le pendule oscille doucement.

Les yeux bleus de la conteuse plongent dans les miens.

– Oh merci, merci, Line ! Tes légumes viennent d'une
source sûre. Ils ont été cultivés sans engrais et fraîchement
cueillis, s'extasie-t-elle en rangeant son instrument.

Je lui rends son sourire.

– Ce n'est pas moi qu'il faut remercier, c'est Angers et
ses marchés, veillés comme tu le sais par la fée Pollen bien
connue (rien à voir avec la Clochette).

Le front barré d'une grosse ride, Claudette s'éclaircit la
voix.

– Et les œufs, tu manges ? demande-t-elle abruptement
à sa voisine.

– S'ils sont pondus du jour, bien sûr !

– Le poisson ?

– À condition qu'il ne soit pas le produit de la pêche
industrielle.

Ne dirait-on pas que l'atmosphère se plombe ? Je me
précipite pour rétablir le liant.

– Exactement comme toi pour le veau, Claudette. Si tu racontais à Priscille ton équipée d'hier ?

– Rien à voir, maugrée-t-elle en revenant à son assiette.

Le silence tombe. Yuan ressert un peu de « vin tranquille ».

– Délicieux, votre jambon, Line, constate-t-il gentiment pour relancer la conversation.

La fan des animaux ne résiste pas.

– Les pieds de porc ne sont-ils pas particulièrement appréciés dans votre pays ?

(En France aussi, Augustin, sauce tartare ou ravigote : « ça vous ravigote un homme ».)

– Le porc sous toutes ses formes, acquiesce Yuan.

– Savez-vous que c'est un animal très émotif ? le relance Claudette. Des études récentes ont révélé qu'il s'attachait à son maître. Il attend sa venue avec impatience, lui manifeste sa joie lorsqu'il le voit apparaître. L'un des rares animaux qui se reconnaît dans un miroir. J'ajouterai qu'il est fort utile à la médecine. Ses valves cardiaques, semblables aux nôtres, sont greffées sur certains malades. D'aucuns imaginent même qu'un jour la truie pourra porter des embryons humains.

– Quelle horreur !

Non ! Ce n'est pas Priscille mais moi qui ai exprimé mon indignation à l'éthologue. Se pacser avec sa tortue, okay. Mais demander aux truies d'être mères porteuses, c'est pousser un peu loin le bouchon.

Sans se départir de son calme – toute indulgence pour ma personne –, Claudette savoure une bouchée de jambon à l'os. Me croirait-elle sans suite dans les idées ?

– Et ça ne te gêne pas de manger un animal si dévoué et proche de nous ? En un mot, un ami ?

– Pas plus que ça ne le gêne, lui, d'apprécier la bonne chère, à commencer par la chair du lapin, sa préférée. Tout en restant un grand sentimental.

– La carotte aussi ! lâche Priscille.

– La carotte ?

Trois voix se sont étonnées.

– Éprouve des sentiments. Elle sait qu'elle est faite pour être consommée et s'enorgueillit d'assurer un rôle prépondérant dans notre alimentation. Je parle bien sûr de celle dont le pedigree est respecté, cultivée dans une terre saine, explique Priscille.

Le pedigree d'une carotte ? Pourquoi pas son QI ? Alors que jusque-là ma conduite a été exemplaire, je commets la faute impardonnable, j'éclate de rire.

Le regard incrédule – blessé ? – de la partisane de l'ombellifère m'interroge. À son tour, Claudette s'élance pour rétablir le liant, s'adressant à Yuan.

– Et chez vous, les légumes ?

– Je me contenterai d'en citer deux, énonce tranquillement le maître. Soja et ginseng, tous deux amis de la femme (quel tact !). Le soja en les aidant à rester jeunes grâce aux hormones féminines qu'il contient. Le ginseng en étant un puissant aphrodisiaque.

Sur ce dernier mot, Priscille a renversé son verre. Un problème de sexe ?

« Une bonne tarte pour finir, ils vont adorer », avait prédit ma fille.

106

Alors que je déposais fièrement ma tatin sur la table, coiffée de quatre boules de glace vanille, la Clochette a bondi de son siège.

– Oh non, Line, par pitié !

Face à son visage bouleversé, la tablée s'est figée.

– Le… le castor, a-t-elle bredouillé.

J'ai regardé autour de nous, pas de castor en vue.

Elle a désigné les boules de glace qui fondaient doucement sur les pommes caramélisées.

– L'a… l'arôme de la vanille vient de ses glandes prépuciales, situées entre l'anus et la vessie.

– Exact, a confirmé Claudette.

Le pendule est réapparu dans la main de Priscille. Il n'a pas attendu d'être sur la tarte pour s'affoler.

– Et ces fruits sont impropres à la consommation.

Dans un silence consterné, elle est allée quérir l'une de ses mystérieuses boîtes dans le réfrigérateur. Elle est revenue l'ouvrir sur la table. Des graines fripées, violacées, sont apparues.

– Des baies de goji, cultivées en Chine par les moines tibétains, cueillies une à une à la main et qui, elles aussi, apportent la jeunesse aux femmes : celle du cœur ! a-t-elle expliqué d'une voix vibrante.

Avant de lancer à mon voisin un intense appel du regard.

– N'est-ce pas, Yuan ?

Et là, je ne sais pas ce qui m'a pris, j'ai saisi son récipient et versé les baies miraculeuses sur la tarte aromatisée aux glandes de castor.

Elle a poussé un cri déchirant, tourné vers moi ses yeux pleins de larmes.

– Oh, Line, pourquoi tu me fais ça ? Moi qui espérais tellement te convaincre.

Elle a repris pochette et carafon et elle est montée dans sa chambre dont elle a refermé la porte avec toute la douceur d'un pardon malgré tout. J'ai compris pourquoi j'avais choisi une jupe sombre.

Claudette a tourné vers moi un regard sévère.

– Sache, Line, que tu as ouvert ta maison à la pire des espèces : une orthorexique.

– « Prêcheuse », a ajouté Yuan avec un soupir.

DEUXIÈME PARTIE
L'ORTHOREXIQUE PRÊCHEUSE

19

L'orthoroxia nervosa, ou « panique dans l'assiette », nous vient des États-Unis (encore !). C'est une lointaine cousine de l'hypocondrie bien connue : cette hantise de la maladie qui empoisonne l'entourage et parfois nous vaut une œuvre d'art. Ainsi de Marcel Proust, l'une de ses plus célèbres victimes, auteur de l'inoubliable *À la recherche du temps perdu*.

En témoignent les lettres quotidiennes que le grand écrivain adressait à sa mère entre deux lavements, prises de pouls, somnifères, fumigènes et autres automédications, dont voici un extrait.

« Ma chère petite maman, (...) peux-tu demander à papa ce que signifie une brûlure au moment de faire pipi qui me force à interrompre puis à recommencer cinq-six fois en un quart d'heure. » Lettre datée du 18 août 1902 – on n'a rien inventé ! Pauvre Marcel, tous ces tourments pour partir d'une simple bronchite.

Bref ! Si l'hypocondriaque se croit sans cesse à l'article de la mort, l'orthorexique, lui, fait une fixation sur le « manger sain ». Le légume juste tiré de terre – une terre bien sûr sans engrais ni pesticides. Le fruit frais cueilli, la graine tombée naturellement sur le sol, l'œuf pondu du jour, de préférence par une poule de sa connaissance. L'eau puisée à la source, sans rejets domestiques, matières organiques ou autres hydrocarbures.

Si notre orthorexique est le plus souvent végétarien, n'imaginez pas une seconde que ce soit par amour pour nos amis les animaux ou compassion devant la façon honteuse dont certains sont traités. C'est qu'il redoute les toxines contenues dans la viande industrielle, ainsi que celles générées par le stress intense de l'animal conduit vers l'abattoir. La souffrance d'une carotte ou d'une tomate privées de leur beau destin d'aliment essentiel à l'homme par un producteur malveillant qui les bourre d'engrais et les soumet à un soleil artificiel lui importe bien davantage.

Et le végétalien, c'est qui ? me demanderez-vous dans la foulée. Son respect pour les animaux le mène à renoncer à tout ce qui nous vient d'eux, à commencer par les délicieux produits laitiers : crème épaisse, beurre onctueux, yaourts divers, fromages chantant nos régions. Manger le produit de l'avortement d'une poule, un œuf qui aurait dû devenir poussin ? Pas question ! Piquer leur miel aux abeilles qui s'en délectent l'hiver venu, lorsqu'elles ne le partagent pas généreusement avec d'autres animaux, vous n'y pensez pas.

Le vegan fait encore plus fort que le végétalien. Dans sa garde-robe, vous ne trouverez ni fourrure, ni laine, ni cuir. Et bien sûr, pas de plumes dans son oreiller. Rien que du synthétique. Et que celui-ci vienne parfois du travail d'enfants esclaves, peu lui importe du moment que l'animal est épargné.

« Mon or, mon or », gémissait Harpagon, comptant et recomptant le contenu de sa cassette. « Mon corps, mon corps », s'écrient les nantis d'aujourd'hui, pesant et repesant leurs organes.

Terminons par un petit tour chez les autres addicts de l'alimentation pure.

Le crudivore végétarien, qui se nourrit exclusivement de légumes crus, issus de l'agriculture biologique. Régime complété par certains avec un petit verre de leur urine, dégustée chaque matin afin de diagnostiquer leurs humeurs, suivant l'exemple des médecins du Moyen Âge qui n'hésitaient pas à goûter celle de leurs patients afin de les mieux soigner.

Le crudivore-carnivore, amateur de chair crue, que l'on voit parfois échouer à l'hôpital, quand ce n'est pas en prison, sa folie l'ayant mené à savourer la chair de ses semblables.

Le granivore, qui se limite aux graines.

Entre autres... l'imagination de l'espèce humaine ne connaissant aucune limite.

Ah, j'allais oublier... Le cybercondriaque, malade du diagnostic sur internet et qui entend en remontrer à son médecin.

Enfin, pour en revenir à nos moutons, c'est-à-dire à l'orthorexie, maladie nouvelle encore mal connue tant elle a de variantes, en augmentation chaque année, ses victimes se divisent en deux catégories.

L'orthorexique honteux qui se coupe volontairement de la société, ermite des temps modernes, exclusivement tourné vers son assiette.

L'orthorexique conquérant, sûr de sa mission : sauver le monde de la malbouffe. Appelé par certains « orthorexique prêcheur ».
Priscille Blondeau.

20

– D'accord, d'accord, maman, je me suis plantée (le cas de le dire). Sur les trois, y en a une qui n'est pas clean, ou plutôt qui l'est trop. T'es sûre pour les glandes de castor dans l'arôme de la vanille ? Moi dont c'était le parfum préféré, ça fait réfléchir quand même. Allô ? Allô ? T'es là ? Je t'entends plus.

– Et le ballon de pipi avant le p'tit déj' pour diagnostiquer tes humeurs, ça te fait réfléchir aussi ?

– Je préfère retenir la peau élastique de ce bon vieux rat-taupe. Deux verres de vin rouge par jour pour la longévité, ça se refuse pas…

Vous vous détendez un peu sur votre futon. Lundi, lendemain de déjeuner-catastrophe, 8 h 30 du matin. Injoignable depuis la veille, votre fille a enfin daigné répondre à vos SOS. En représailles, vous lui avez balancé tout le paquet : du porc aux yeux doux à l'orthorexique prêcheuse en passant par les glandes pinéales du castor.

– Et maintenant, je fais quoi avec la « pire des espèces » ?

– Rien ! Bail signé pour un an. Tu ignores, tu survoles, tu la laisses avec sa carotte-pedigree. Ne dit-on pas que la carotte rend aimable ? (Ah ah !) Et t'oublies de l'appeler « la Clochette » pour pas attiser.

– …

– Allons, maman, t'es pas toute seule, je suis là. Et d'après ce que j'ai compris, tes autres partenaires aussi. Fais pas trop attention à la truie-mère porteuse de Claudette, tu sais qu'elle aime bien provoquer. Tu as aussi ton cher Yuan – remarque que je l'appelle plus Po Po ! Tiens, si tu lui demandais de s'occuper de tes pieds, ça pourrait aider. Sans oublier Max. Il t'adore. Et d'après ce que j'ai compris, en dehors de ses heures de ménage à fond, vous avez plein de projets communs pour ta chambrette. Hésite pas à me l'emprunter. Ah, un conseil ! Évite de parler à Alma de ton ortho-machin-truc, tu la connais : elle sera trop heureuse de répandre la bonne nouvelle. Bisous, maman, à un de ces quatre.

Votre fille a raccroché et, libre de tous liens, elle a repris le cours tranquille de sa vie.

*

Durant les jours qui ont suivi, anormalement calmes – précédant la tempête ? –, je me suis efforcée d'étudier le modus vivendi de chacun afin d'y adapter mon propre emploi du temps.

Résumons.

Yuan est le premier levé. Notons qu'avec l'aide de Max et de Claudette il a très vite bazardé le sommier sur roulettes d'Augustin. Bon débarras ! À peine si vous l'entendez sortir de la maison pour pratiquer l'art du kung-fu sur la pelouse (mouillée de rosée). À la suite de l'exercice, qui dure une petite demi-heure, il regagne sa chambre pour réapparaître dans la châtaigneraie vers 8 heures, douché, habillé, cheveux lisses, fleurant bon l'eau de toilette (« Bois de santal légèrement épicé : ode à la virilité »), peut-on lire sur l'étiquette du joli flacon. Thé, céréales et fruits composent son petit déjeuner. Il est entre 8 h 30 et 9 heures lorsque après avoir tout soigneusement rangé, il s'envole dans sa voiture électrique. À propos, Colomba m'a appris qu'il s'agissait d'une « Fisker Karma », berline sportive de luxe, système hybride, deux moteurs, respectueuse de l'environnement... Semblable à celle de Leonardo Di Caprio. Passons : voiture Karma, ça me plaît.

Il est rare de le revoir avant 7 heures du soir. Si quelqu'une se trouve là, il échange quelques mots avec elle. La télévision ne semble pas l'intéresser. Après un dîner léger, il monte dans sa chambre. Extinction des feux aux alentours de 22 heures. On ne peut être du soir et du matin.

Le premier geste de Claudette, qui quitte sa chambre vers 8 heures en tenue de travail, est, sans surprise, d'aller dire bonjour à Gertrude dans le jardin. La tortue n'étant pas sourde, contrairement à son cousin le serpent, dès qu'elle entend sa voix, on peut la voir émerger d'un buisson, non loin du potager qu'elle surveille. La finaude sait que sa mère ne manquera pas de lui apporter une friandise car n'imaginez pas qu'elle se nourrit exclusivement de légumes et de vers. Elle est friande de fruits et de fleurs dont la capucine et la rose trémière. Mais sa préférence va à l'os de poulet qui lui permet d'aiguiser son bec corné.

Il arrive à Claudette de la ramener à la maison pour un petit déjeuner commun. Tartines de pain grillé, beurre et confiture pour l'une. Un quartier d'orange, de pomme ou de mandarine pour l'autre. Vers 8 h 30, la fourgonnette s'ébranle lourdement en direction du labo.

De retour entre 19 et 20 heures, l'éthologue se fait un plateau-télé (la veinarde). Passant par là, j'ai pu noter ses programmes préférés, ceux qui la font tant rire, les « variétés », qui en disent si long sur le comportement humain. Claudette éteint rarement avant minuit.

Enfin, Priscille. Disons-le sans a priori, en dehors des quelques demi-journées consacrées à ses animations dans les écoles, son emploi du temps est totalement bordélique.

Jamais levée avant 10 heures – ce qui, selon les psys, dénote un tempérament dépressif, une difficulté à appréhender la vie –, lorsqu'elle apparaît, en robe de chambre et chaussons, ses partenaires sont partis depuis longtemps. S'il m'arrive de lire dans un coin de canapé, elle me salue de loin avant de se livrer à la préparation de son premier repas-grignotage – selon les nutritionnistes, dévastateur pour la santé. Lait bio, graines de goji, tranchette de pain noir recouverte d'une confiture introuvable sur le marché. Le tout accompagné d'un jus de légumes (carotte, feuille de chou, pois) mêlé à celui d'un fruit, brassé en douceur par une centrifugeuse manuelle.

Entre préparatifs et absorption, chaque bouchée longuement mastiquée, chaque gorgée religieusement tournée et retournée sur son palais, une bonne heure s'est écoulée durant laquelle, légèrement écœurée, j'ai quitté la pièce pour poursuivre ma lecture au grand air. C'est ainsi qu'aux environs de 11 heures, je peux la voir réapparaître en tenue de jardinière. L'heure du potager est venue.

Elle vérifie d'abord qu'aucun parasite ne s'est attaqué à ses plantations, chacune soigneusement étiquetée. Puis elle taillotte, bine, ratisse et encourage son petit monde avant de l'arroser.

À ce propos, dans l'album qu'elle m'a offert, chaque légume a son prénom, ma foi pas mal trouvé. La carotte, c'est Fanette, la tomate, Joy, l'asperge, Laurel, Zoé l'aubergine, Baptiste, le concombre, j'en passe. Et si je remplaçais « Clochette » par Fanette, Joy ou Zoé pour faire plaisir à Colomba ?

Je me dois de reconnaître que ses dessins sont ravissants. Les textes ? Consternants. Légumes et bambins, donnez-vous la main pour sauver ces pauvres Terriens.

Le grillage du potager refermé, c'est l'heure du sport. Montées et descentes frénétiques d'escalier, les bras pleins de mystérieux objets. Ouverture et fermeture de la lourde porte du réfrigérateur, agenouillements devant le congélateur, pédalage sur le vélo-lave-linge, étendage du linge au bout du jardin entre deux pommiers stériles. Et voilà déjà le moment de préparer le grignotage-déjeuner auquel je n'assiste pas de peur d'être invitée. Une sieste clôt le tout.

Alors que, pour la plupart, la journée de travail touche à sa fin, c'est aux environs de 16 heures que Priscille s'y attelle : deux petites heures à la table de châtaignier devant crayons de couleur, pinceaux, plume, carnets à dessin et cahier d'écolière. N'oublions pas que, selon Colomba, mademoiselle est blindée, l'héritage de ses parents la mettant à l'abri de tout souci financier. Seule l'urgence de sauver la planète l'anime.

Première à dîner : grignotage chaud – potage et infusion –, elle a terminé lorsque Yuan et Claudette reviennent de leur dure journée de labeur. Elle échange quelques mots avec eux et après un « bonne nuit les petits » à ses plantations, regagne sa cellule pour un sommeil-grignotage à en croire le multiple va-et-vient de la lumière dans sa chambre.

À noter que, des trois, elle est la seule à fermer sa porte à clé lorsqu'elle s'absente. Quelque chose à cacher ? Idem pour sa boîte aux lettres alors que ses partenaires laissent la leur bâiller, libre à moi de rapporter leur courrier à la maison en même temps que le mien.

« Tu survoles, tu ignores, tu la laisses avec sa carotte-pedigree », m'a recommandé ma fille.

Et si mes inquiétudes n'étaient pas justifiées ? Si la prêcheuse avait rentré sa bible, se rendant compte qu'elle avait à faire à plus fort qu'elle ?

On peut toujours rêver.

21

Ce mardi 10 mars, avant-veille de mi-carême, 8 h 30, alors que Claudette envolée, Priscille endormie, je vaque à mes occupations dans la châtaigneraie, voilà que je croise Yuan qui me propose de partager un thé avec lui. Une chance, je n'ai pas encore pris mon petit déjeuner.

Partagerai-je également ses céréales ? Une coupelle de litchis ?

Avec plaisir, cela me changera de mes monotones tartines-beurre-confiture.

Tandis que le thé (câlin) infuse, il m'apprend qu'il ne sera pas là ce soir. En effet, il s'envole tout à l'heure pour Genève où se tient un congrès international de réflexologie.

J'ai du mal à cacher ma déception. À peine arrivé, sitôt envolé ? Une phrase me revient, prononcée par lui le jour de son emménagement : « Ô combien ai-je attendu ce jour, Line ! » Cette belle complicité que j'avais sentie se nouer entre nous déjà perdue ? À moins que je ne l'aie rêvée : tout moi !

Mais voici que son regard tombe sur mes jolies ballerines chinoises en velours noir doublé de coton blanc, assorties à mon kimono fleuri, ensemble découvert récemment sur un marché. Il s'y attarde puis relève ses yeux tendrement bridés. J'y lis qu'il a perçu mon désarroi.

– Quarante-huit heures seulement, Line ! Et si, à mon retour, vous acceptez de me confier vos pieds, j'en serai comblé.

Un soulagement trop brusque m'étourdit un peu. Là, c'est la suggestion de Colomba qui vient frapper ma mémoire : « Et si tu lui demandais de s'occuper de tes pieds, ça pourrait t'aider. » Comme elle sent bien les choses !

– Oh oui, Yuan. Et si nous fixions un rendez-vous dès maintenant ? C'est que j'ai pas mal à faire et vous-même êtes si pris !

À peine s'il réfléchit. À croire que j'étais déjà inscrite sur son planning.

– Dimanche matin prochain, 10 h 30, cela vous convient-il ?

– Je suis libre. Où cela ?

– Dans ma chambre. À moins que vous ne préfériez la vôtre. Dans ce cas, j'en profiterai pour vérifier l'orientation de votre lit.

Mon futon.

Je confesse préférer sa chambre, mieux éclairée.

– Il vous faudra porter un vêtement ample. Et ni montre ni bijoux, m'indique-t-il en désignant mon bracelet de jade.

Son sourire complice en dit long : jade, pierre qui aide à trouver la paix intérieure.

Mais il est temps d'attaquer le petit déjeuner. Dieu que ce thé est parfumé, ces céréales croustillantes, ces litchis ? Un baiser. Quelle belle journée !

*

Qui n'a ressenti, un jour ou l'autre, une sorte de gêne en se chaussant le matin ? Découvert un durillon sur la plante de son pied, à moins qu'il ne s'agisse d'un cor disgracieux ou d'un œil-de-perdrix (cor ramolli) ? Qui, ayant tout tenté en vain pour s'en débarrasser, n'a dû, en désespoir de cause, s'adresser à un pédicure, voire un podologue ?

Jusque-là, peu soucieuse de l'esthétique de mes pieds auxquels, contrairement à certains hommes qui leur vouent un culte, Augustin ne prêtait aucune attention, je m'étais contentée d'une automédication de confort : maniement de la pierre ponce, bains dans une cuvette d'eau tiède mêlée d'une cuillérée d'huile de ricin, une aspirine concassée, voire une gousse d'ail. Résultats peu probants.

Ces derniers temps, mue par une sorte de prescience, j'avais relevé les coordonnées d'un pédicure sur l'une des affichettes placardées à la porte de ma boulangerie angevine : « Docteur Matthieu : Au bonheur des pieds ». Le jour était venu de former son numéro.

Il pourrait me recevoir vendredi prochain à 16 heures, m'a répondu une voix féminine. Vendredi ? Avant-veille de dimanche ? Jour idéal, j'y serais.

Nous n'étions que mardi. Pour tromper mon attente, j'ai cherché dans la malle des vêtements d'été la tenue ample recommandée par Yuan et, après maints essayages, opté pour une robe-chemise boutonnée devant, portée sur un maillot lors de nos vacances sur l'île de Beauté, idéale pour la plage, retirée en un tournemain.

*

Le docteur Matthieu gîte au centre d'Angers, à quelques encablures d'un fameux salon de coiffure. De bonne humeur, je me permets une plaisanterie douteuse : « Le Roméo des pieds ? »

Le temps s'y prêtant, j'ai décidé de m'y rendre à vélo, mes réceptacles d'harmonie lavés et relavés, protégés par une double paire de chaussettes. Avril pointe son nez, des odeurs de renouveau circulent, ma rivière m'adresse des clins d'œil argentés.

Un immeuble cossu, une jolie plaque dorée près d'une porte cochère, m'y voilà déjà !

Alors que, non sans mal – vision ni de près ni de loin –, j'arrime mon deux-roues à un poteau à l'aide d'un antivol à clé microscopique, une voix trop connue m'interpelle.

– Mon Dieu, Line !

Alma ! À croire que le bracelet électronique que je croyais désactivé par ma prestation à la brasserie Marguerite d'An-jou a repris du service.

Je me redresse péniblement.

– Mais qu'as-tu fait à tes cheveux ? Roméo était si fier de son travail !

Je regarde le consternant nid d'oiseau sur la tête de ma pauvre amie.

– Son brushing n'était pas pour moi, trop carton-pâte, artificiel, vous retirant toute personnalité. Et mon entourage me préfère nature.

Il y a des gens qui ne se voient plus. Loin de se vexer, Alma saute sur la perche tendue.

– À propos d'entourage, ça se passe comment à L'Escale ?

Me souvenant du précieux conseil de ma fille, je lui adresse un sourire radieux.

– Top ! Une atmosphère passionnante et tellement enrichissante. Quasiment une surprise par jour.

– Et Paul ?

– Un peu émoustillé par le printemps.

Enfin venue à bout de l'antivol, je me redresse. Alma pointe le doigt sur mes pieds.

– Oublie pas tes lunettes.

L'art de vous rabaisser ! Je les récupère dans le caniveau. Une chance que je n'aie pas marché dessus. Ce ne serait pas la première fois.

– Tu m'inviteras ?

Paul, pas le seul à être émoustillé...

– Avec l'accord de mes partenaires.

– Et l'accord de tes partenaires, tu en as besoin pour prendre un thé avec moi ? rebondit-elle, vexée.

Je désigne la plaque dorée près du portail du bel immeuble.

– Une autre fois. Mon pédicure m'attend.

Elle en perd le souffle.

– TON pédicure ?

– Et pourquoi pas ? Ciao, Alma !

125

Elle se résigne à dégager. Je la regarde s'éloigner : talons trop hauts, chaussures trop étroites, dos martyrisé. Alma, future mine d'or des podologues et des kinés.

Le Roméo des pieds était une femme : Ginette. On ne choisit pas son prénom. Toujours est-il que certains vous retirent tout complexe et c'est sans honte que je lui ai livré mes orteils.

Elle a diagnostiqué la présence d'un durillon, de deux cors et autant d'œils-de-perdrix. Sans compter les ongles, durs comme becs cornus de tortues.

Durant une heure, elle a limé, extrait, massé, pansé, tout en m'expliquant la nécessité de chouchouter sa base, être belle jusqu'au bout de ses orteils. À propos, je pourrai retirer les pansements dès demain : ouf !

Tandis que je lui tendais ma carte de crédit-co-living, Ginette m'a signalé qu'elle faisait des prix à celles qui enterraient leur vie de jeune fille, partaient en voyage de noces ou fêtaient une naissance.

Et bien que n'appartenant à aucune de ces catégories, quittant l'aimable femme, délestée de mon petit sac honteux de parasites – rien de bien lourd au demeurant –, il m'a semblé voler.

22

Samedi, 10 heures, veille de grand rendez-vous, ciel limpide, douceur subtile qui précède les bons moments connus de nous seuls, Claudette au marché, Yuan à son association pour le « mieux vivre », Priscille mystérieusement disparue, je tente avec Maxence de relooker mon terrier dans l'espoir d'y caser télé, glacière et réchaud sans risque d'électrocution ou d'hydrocution sur ma fragile personne, lorsque le bruit inoubliable d'une roulotte défonçant le chemin qui mène à la maison me précipite à l'extérieur.

Je ne me suis pas trompée ! C'est bien devant le portail de L'Escale qu'elle s'arrête : diable et diablesse sont de retour.

Le temps que je coure faire barrage de mon corps aux envahisseurs, les comparses de la Clochette (tant pis !) ont extrait de la caravane une sorte de cabanon pourvu d'une porte et d'une fenêtre qu'ils hissent sur leur engin. Priscille suit, portant dans ses bras... une poule.

– Line, je te présente Georgette, pavoise-t-elle tandis que le volatile tente de disparaître dans les smocks de sa robe. Claudette sera fière de moi : je viens de la sauver d'une mort cruelle.

Max nous a rejoints. Elle pique un baiser sur sa joue (grrr), Colomba a raison, il est aimé.

Tout en suivant Tic et Toc – dont je n'ai jamais eu l'heur de connaître les prénoms, à moins que je ne les aie oubliés –, elle nous narre le triste sort du gallinacé, maltraité par ses congénères dans la cour de la ferme où elle est allée le chercher, une poule étant le complément indispensable à un potager. Raison du harcèlement ? Hélas, toujours le même : la loi du plus fort, le plus faible vite repéré par les autres et martyrisé.

– C'est d'autant plus injuste que la pauvre Georgette est de la race des poules rousses, venant d'Angleterre (encore !), race réputée pour son caractère accommodant, ainsi que très casanier, ce qui limitera les risques de pugilat avec Gertrude.

Tiens, Gertrude ! Que pensera sa mère de la nouvelle coloc ?

Mais nous voici rendus au potager où le poulailler vient d'être introduit près de la cabane à semis – la confiance règne. Par le toit amovible, les garçons nous font admirer perchoir, mangeoire, abreuvoir et pondoir : un quatre-étoiles ! Et notre casanière ne s'y trompe pas qui, sitôt dans ses pénates, manifeste son contentement en caquetant joyeusement.

Je demande, béotienne :

– Et un coq ne lui manquera pas ?

Priscille rit de bon cœur.

– Le coq épuise les poules par ses ardeurs, et elles n'ont pas besoin de lui pour avoir des œufs. (Féministes avant l'heure ?)

Maxence s'en mêle, ne dirait-on pas que Georgette a fait sa conquête ?

– Et que mange-t-elle ?

Sa protectrice n'attendait que ça ! Aux anges, elle nous explique que l'assiette de la poule ne se limite pas, ainsi qu'on l'imagine, à du vulgaire grain assaisonné de vers, limaces ou escargots. C'est une gourmette écolo qui se régale des reliefs de nos repas. Plus inattendu, elle raffole de gravillons qui, en l'absence de dentition (quand les poules auront des dents), tapissent leur gésier, les aidant ainsi à broyer les aliments, gage de bonne digestion.

– C'est également une excellente auxiliaire agricole, s'enflamme à son tour l'un de ses complices. En grattant la terre, elle lui permet de respirer. La coquille de ses œufs, broyée au pied des arbres, forme barrage aux insectes. Suspendue aux branches des arbres fruitiers, elle les maintient en bonne santé. Et bien sûr, sa fiente est un excellent engrais.

– Sans compter, conclut Priscille, que la poule rousse peut avoir cent cinquante à deux cents œufs par an. Nous allons nous régaler.

La roulotte repartie, Maxence et moi sommes revenus déjeuner à la maison, laissant Georgette et la Clochette caqueter de concert. Il m'a expliqué qu'adopter une poule était furieusement tendance, notamment chez les bobos. Certains installaient même un poulailler sur leur terrasse, au grand bonheur de leurs enfants. Tiens ! Une idée de cadeau pour Alma ?

Le hasard n'existant pas, j'avais prévu des œufs brouillés pour notre repas. Afin de conjurer le sort – deux débarquements de roulotte, jamais deux sans trois ? –, j'y ai ajouté une tonne de fromage enrichi au cholestérol.

Lorsque Claudette est rentrée, en fin d'après-midi, Priscille lui a sauté dessus, toute fière de lui présenter la poule souffre-douleur sauvée par ses soins.

Après s'être assurée de la présence de Gertrude qui patrouillait à son habitude non loin du potager, l'éthologue a accepté d'y entrer pour saluer Georgette. Gertrude-Georgette, l'année du G ?

Tandis qu'elle examinait avec soin la nouvelle hôte de la maison, il m'a semblé la voir froncer les sourcils : un souci ? Est-ce pour ne pas gâcher l'enthousiasme de sa partenaire qu'elle n'a rien dit ? Je m'en souviendrai.

À Yuan, Priscille a gentiment expliqué qu'étaient aussi proposées à l'adoption des « naines de Pékin », ravissant volatile d'ornement, très prisé dans son pays. Mais bon, douze œufs pour une omelette de deux personnes, franchement, était-ce raisonnable ?

23

Les voilages de la chambre matrimoniale sont tirés. Une musique douce, répétitive, tel un mantra, berce l'atmosphère. Monte de la lampe à encens une subtile odeur de jasmin.

Yuan porte un large pantalon de soie noir et une chemise blanche. Pieds nus dans ses tongs. Il referme la porte sans bruit, tend la main vers ma robe.

– Si vous voulez bien, Line...

Et comme il en dénoue la ceinture et que les plis tombent autour de mon corps, me reviennent des souvenirs de mer et de sable brûlant sous le soleil.

Sur un signe de lui, je me défais de mes ballerines. Il désigne à présent le matelas posé à même le sol, recouvert d'un simple drap blanc.

– Prenez place, s'il vous plaît.

D'autres y éprouveraient de la difficulté, je m'y allonge sans peine (futon). Ployé sur moi, il glisse un oreiller sous ma nuque, un autre sous mes genoux, avant de s'asseoir entre ceux-ci, jambes croisées, et de s'emparer de mon pied qu'il pose sur un coussinet.

Pieds : réceptacles de l'harmonie entre corps et esprit...
Tandis qu'il examine le mien, je ne peux m'empêcher de
trembler. Que va-t-il y lire de moi ? Sans compter que
je suis chatouilleuse. Ne vais-je pas casser l'ambiance en
riant ou en me tordant à mauvais escient, au mauvais
moment ?

— Respirez, Line.

Bien sûr, il a senti mon désarroi. Je ferme les yeux,
m'efforce de contrôler mon souffle, mon cœur. Doucement, son pouce vient se loger sous mon gros orteil
(heureusement remis à neuf par Ginette), une pression,
suivie d'une autre, une autre encore. Peut-on parler d'une
douleur qui fait du bien ? Qui renfermerait sa guérison ?
Sous la rotation régulière de son pouce, s'éveille un point
sensible auquel répond, montant du plus profond de moi-
même, une sorte de chaleur qui m'envahit toute, telle une
acceptation. De qui ? De quoi ? Va-t-il me l'expliquer ?

Me reviennent cette fois les mots prononcés par lui
lors de notre première rencontre : « Line, vous avez souffert. » Et soudain, il me semble qu'il sait tout des images
qui défilent dans ma tête, échappées aux plis du temps.
La « tardillonne » venue si tard qu'elle en a perdu ses
frères aînés, exilés en Australie. Nicolas et André, comme
un point de côté douloureux dans ma vie – cours toujours, tu ne les rattraperas jamais. La gamine vif-argent
éprise de son père, la femme bridée par un mari qui ne
regardait que lui, l'arbre-confident aux branches duquel
on accroche sa solitude. Et ces incertitudes, ces doutes,
ces peurs, cachés tant bien que mal sous la peau d'une
crâneuse.

132

Mais voici que, de mon orteil, son pouce passe au centre de mon pied. Je ne peux retenir un sursaut, comme s'il touchait à un nœud trop serré.

– Le « cordon d'argent », murmure-t-il. Autre nom donné au plexus solaire, miroir de nos émotions.

À quand remonte cette boule douloureuse au creux de mon estomac qui m'a tant empoisonné la vie ? Déjà à l'école, face aux premières de la classe. Est-il de jour où, à un moment ou un autre, je ne l'ai sentie se former ?

– Imaginez un cercle doré, comme un soleil intérieur tournant au centre de vous-même, me guide le maître. Vos angoisses se dissipent, votre énergie vitale se libère, vous revient votre propre estime.

Et là, un éclair me renvoie à un souvenir que j'ai en vain tenté d'oublier.

Aujourd'hui, j'ai 4 ans. Papa a décidé de retirer ses petites roues à mon vélo : « Tu es grande, maintenant ! » Sitôt les bougies soufflées de mon moelleux au chocolat, il m'emmène sur un chemin de campagne non loin de la maison et, de sa plus belle voix de gendarme, il ordonne : « En selle, ma fille ! » La peur m'étreint, je n'y arriverai jamais, je vais tomber, me faire mal, déchirer ma jolie robe. Il m'y juche de force et, les mains sur mes épaules, me donne l'élan : « Allez, envole-toi. » Avec l'énergie du désespoir, j'appuie sur les pédales, accompagnée par ses applaudissements. Eh oui, je vole ! C'est une sorte de griserie qui m'emplit à présent, pourtant, je n'ai bu qu'une petite gorgée de champagne. Qu'importe si je ne tiendrai pas jusqu'au bout du chemin : durant un instant, le monde m'aura appartenu.

« Bravo, championne ! » a dit mon père.

Il arrive que l'on accroche des petites roues à sa vie. Mon père est mort, la championne est par terre, où est l'estime de moi ? Les larmes ont afflué.

– Line, vous êtes une femme magnifique, a applaudi Yuan.

De mon plexus, il est passé à ma nuque, pressant cette fois son pouce sur le bord extérieur de mon pied. Il n'avait plus besoin de me demander de me détendre, je l'étais si bien que j'avais du mal à garder les yeux ouverts.

Pour terminer la séance, il a enduit mes pieds d'une huile qui sentait bon le pin et peut-être aussi le bois de rose et il les a longuement massés sur ses genoux.

Puis il m'a aidée à me relever et m'a conseillé de dormir un moment pour me remettre de tant d'émotions. Si je le voulais bien, dimanche prochain, à la même heure, il s'occuperait de mon pied droit. Pied gauche : point du cœur. Pied droit : point du foie, de l'estomac, du talent et de la chance.

J'ai remis sa ceinture à ma robe et chaussé mes ballerines. Comme je redescendais l'escalier, c'était les paroles d'une chanson d'Édith Piaf qui tournaient dans ma tête, où elle dit que « rien de rien, elle ne regrette rien, ni le bien qu'on lui a fait, ni le mal ».

Ce mal qui fait du bien ? Cette souffrance qui se transforme en lumière ?

24

N'empêche ! Quand, trois jours plus tard, en plein après-midi, Colomba débarque sans avertir dans votre terrier : œil noir, front en avant, lèvres serrées – une chance que la porte dérobée soit fermée –, le « cordon d'argent » se rompt, Édith Piaf se tait, la boule au ventre est de retour : quoi encore ?

Le regard de votre fille fait le tour des lieux et elle pousse un gros soupir, signe d'attaque imminente, tel le taureau, fumée aux naseaux, qui laboure le sol avant de foncer.

– Nulle ! J'ai été nulle ! gronde-t-elle. Zéro pointé pour l'espace vital : un trou à rat, un cagibi, un mitard, Max n'a pas exagéré. Pardonne-moi, mamounette, j'aurais jamais dû te demander de descendre. Deux partenaires auraient aussi bien fait l'affaire et tu serais encore dans ta chambre.

Votre chambre, votre chère chambre, un peu tard pour y penser, non ?

Elle jette son cabas sur votre futon, libère le tabouret du réchaud une plaque afin de pouvoir s'y asseoir, étend ses pieds sur la glacière, exactement comme vous, le soir, pour regarder votre feuilleton sur l'écran minable.

— Mais t'as plus à t'en faire, finie la galère, j'ai trouvé une solution !

Aïe ! Vous tendez le dos, vous attendant au pire.

Le pire vient.

— Je t'inscris sur un site de rencontre.

— MOA ?

— Et pourquoi pas ? Tu sais que, pour une quinqua, tu te défends plutôt bien ? Surtout depuis que tu as coupé tes cheveux (merci, Alma !). On vise un site senior, genre veuf fortuné dans un super appart : belle chambre, vaste frigo, grand écran. Il t'y installe, tu ne reviens ici que de loin en loin, pour vérifier que tout se passe bien, éventuellement participer à une festivité ou une autre, et le tour est joué.

« Lui pour moi, moi pour lui, dans la vie », fredonne Piaf à votre oreille.

— PAS QUESTION !

Peu habituée à vous voir élever la voix, votre fille en reste comme deux ronds de flan.

— Eh bien, maman ! Tu as mangé quoi ?

Rien de spécial : trois feuilles de salade et un œuf dur. C'est votre nouveau moi qui a parlé.

Elle croit comprendre.

— J'y suis : Papa ! Parti il y a à peine trois mois. Mais il s'est passé tant de choses depuis. Tu n'as pas l'impression que bien plus d'eau a coulé sous les ponts ?

Ouh la la, un torrent !

— Et t'es pas obligée, par fidélité à son souvenir, de renoncer à te trouver une autre âme sœur, poursuit-elle.

Encore faudrait-il que vous en ayez déjà rencontré une ! Tout le monde n'a pas le carnet de bal bien rempli de la célèbre « Môme » : Cocatrix, Cerdan, Sarapo, entre autres… Sans compter les aventures d'un soir. Quant à la fidélité, okay, parlons-en.

Certes, il y en a de nobles, laborieusement fourbies par l'amour que se porte un couple qui bride ses désirs pour ne pas se faire souffrir, la passion qui se transforme en amour, l'amour en tendresse, la tendresse en habitude, on va même jusqu'à prendre un même billet de fin de parcours. Autre puissant moteur de la fidélité, la protection des innocents, les enfants. Là, c'est les yeux fermés sur les coups de canif portés au contrat sacré, le sacrifice de soi, sourire aux lèvres et rage au cœur. Petit retour au carnet de bal de notre Édith, mère d'une seule fillette, Marcelle, hélas disparue en bas âge, ce qui lui permettait de danser sans scrupules avec tous ceux qui lui chantaient.

Mais qui parle de cette autre raison, elle moins noble, qui vous condamne à la fidélité ? Ce bon vieux complexe d'infériorité, cher à Freud et à ses comparses, dû à une imperfection de votre anatomie qui vous prive de vous montrer à tout autre qu'à votre conjoint, qui d'ailleurs s'en fout, même s'il en est la cause, et utilise une porte dérobée pour aller conter fleurette à de moins abîmées.

Bref !

– Détrompe toi, Colomba, ce n'est pas par fidélité à ton père que je ne veux pas de ton site, avez-vous répondu en un élan de sincérité.

– Mais alors pourquoi ?

– Je suppose que ton veuf fortuné souhaitera que je partage son lit en échange de ses bienfaits ?

La voilà qui se tord.

– Ça va de soi ! C'est donc ça qui te fait peur, mamounette ? Les câlins ?

– Même pas.

– Alors ?

– La honte.

– Mais de quoi ?

Comment pourrait-elle savoir ? Pas votre genre de vous balader toute nue devant vos enfants comme certains soixante-huitards. J'hésite encore : dire ou ne pas dire, that is the question.

Dire.

– Deux accouchements par césarienne, un ventre champ de bataille, Waterloo.

Accouchements au rabais, pratiqués par un boucher, dans une clinique sous-équipée. On ouvre, on extirpe, on recoud grossièrement, « c'est bon, madame, l'enfant se porte bien ». Encore heureux que mes seins aient survécu. Quant à votre libido, par terre, pas plus de désirs qu'un rhododendron. Et toutes les cornes de rhinocéros, écorces de géranium ou fruits rouges de ginseng n'y changeront rien. Alors, son veuf-site de rencontre, merci bien !

– Quand on aime quelqu'un, on aime aussi ses défauts, a risqué votre fille qui est repartie sans insister.

Jusqu'à la prochaine fois…

*

138

À propos de « câlins », la journée s'est terminée sur une note de gaieté. Trop rare pour ne pas la déguster.

« Le coq épuise les poules par ses ardeurs », nous avait révélé Priscille afin d'expliquer son refus d'en accueillir un dans le poulailler pour tenir compagnie à Georgette.

Lorsque celle-ci, remplumée grâce à un régime sur mesure et rassurée par les caresses de sa maîtresse, s'est soudain dressée sur ses ergots et a lancé à l'entourage un retentissant « cocorico », le doute n'a plus été permis : c'était Georges qu'elle avait recueilli. Un pauvre coq trop malingre pour être respecté par ces dames.

La seule à n'avoir manifesté aucun étonnement a été Claudette qui, dès le premier coup d'œil, avait flairé l'arnaque.

Question : l'élan du cœur de Priscille irait-il jusqu'à garder Georges, quitte à renoncer à ses deux cents œufs à la coque par an ? L'avenir le dirait.

25

Vendredi 20 mars, premier jour du printemps. Ce matin, leçon de conduite sur le tank. Combien Max m'en a-t-il donné ? Je n'ai pas compté. Mais, est-ce sa confiance, le coussin rembourré qui permet à mon petit format d'avoir le nez au-dessus du volant ? Nous avons poussé sans encombre jusqu'aux portes d'Angers.

– Dix sur dix, Line, bravo ! Vous êtes une championne, a-t-il applaudi, sans se douter sur quelle corde, ô combien sensible, il appuyait.

Pour ma récompense, j'ai décidé de m'offrir un bain grand tralala : une orgie d'eau chaude et de mousse, en musique s'il vous plaît. Aucun scrupule à avoir puisque mes partenaires, adeptes de la douche, m'ont tous laissé entendre que je pouvais disposer de la baignoire à ma guise.

16 heures. Priscille à son animation, Yuan à ses patients, Claudette à son labo, toutes issues bouclées, maison à moi, je suis montée en peignoir dans la royale salle de bains. Me dénudant, j'ai soigneusement évité de regarder dans la glace la partie de mon anatomie que m'avait cruellement

rappelée Colomba avec son veuf, et après avoir glissé dans le lecteur de cassettes une cantate de Jean-Sébastien Bach – eh oui, je n'aime pas que la chansonnette –, j'ai pénétré dans l'onde.

Bulles jusqu'au menton, yeux clos, je savoure un instant parfait, lorsqu'un bruit de pas, le sentiment d'une présence, fait bondir mon cœur : Yuan ?

Priscille ! À la porte de la salle de bains que, sûre de mon coup, j'avais laissée entr'ouverte.

– Un prof agressé, droit de retrait, collège en grève, animation annulée, déplore-t-elle.

Tandis que mon cœur reprend péniblement du service, voilà qu'elle s'assoit sur le rebord de la baignoire, côté pieds. Son air soucieux fait place à un sourire plein de gratitude.

– C'est doux d'avoir une alliée !

Une alliée ? À première vue, nulle autre que nous dans les lieux, c'est donc bien à moi qu'elle s'est adressée.

Du doigt, elle pointe mes aisselles.

– Connais-tu l'association des « Aisselles fleuries » ?

– ...

– Pour le poil cool, contre cette mode barbare du « toujours plus glabre », l'épilation totale, voire définitive, au moyen du laser ?

C'est donc ça ! Sans en faire tout un foin, je dois reconnaître que je ne me suis jamais épilée, ni le haut ni le bas, Augustin assurant que les odeurs corporelles favorisaient l'attraction sexuelle. À l'instar d'Henri IV qui, au retour du combat, écrivait à sa maîtresse, Gabrielle d'Estrées : « Surtout ne vous lavez pas, j'arrive. »

Attraction dont, avouons-le, je doutais franchement quand mon militaire à moi se jetait sur ma personne au retour de la caserne sans être passé par la douche.

En attendant, c'est de la guerre sans merci que se livrent les « trichophiles » – défenseurs du poil – et les « tricho-phobes », leurs ennemis jurés, que Priscille me bassine. Où se croit-elle ? Dans le dernier salon où l'on cause ? Ma colère monte au fur et à mesure que l'eau refroidit. Et voilà qu'elle désigne mes cheveux.

– Je leur trouve une petite mine. M'autorises-tu à y remédier ?

Sans attendre ma réponse, elle ouvre l'armoire de toilette, en sort un flacon, le brandit victorieusement.

– Infusion de romarin au gingembre.

Le débouche, s'empare de la douchette...

– NON !

Surprise par mon cri, elle lâche l'instrument qui chute dans la baignoire. Une chance que ce ne soit pas le sèche-cheveux, branché en permanence. J'en ai la chair de poule. Elle veut ma peau ou quoi ? J'explose.

– Figure-toi que MOI, je ne me lave pas les cheveux à l'aphrodisiaque. Gingembre-ginseng, même combat, l'aurais-tu oublié ? Et maintenant, out !

Je sais, j'y vais fort. Dans mon emportement, je l'ai même tutoyée, perdant le sens de la distance. Mais je suis gelée, Bach s'est tu, la mousse a fondu, elle a saccagé mon bon moment. Que lui faut-il de plus ? Que je lui montre mon ventre, peut-être ?

– Excuse-moi, Line.

Je ne veux pas de ses excuses, son sourire contrit, son sacrifice. Je refuse qu'elle me pardonne. Je veux lui hérisser le poil, la mettre en rogne, rallumer la flamme meurtrière dans ses yeux, comprendre ce qui la consume, loger sa peur, ses hantises, lui arracher son secret : pourquoi elle préfère les plantes aux humains ; bref, nommer ce que mon instinct de psycho-traqueuse ne cesse de me souffler à l'oreille depuis notre première rencontre : « Prends garde, ne t'y fie pas. »

Mais ce ne sera pas pour aujourd'hui : sans bruit, sans cris, humblement, la trichophile, membre de l'association des « Aisselles fleuries », s'est évaporée.

26

Lorsque Colomba m'avait proposé sa super idée co-living, elle m'avait fait valoir, entre autres richesses de la formule californienne, les fabuleux moments partagés entre les partenaires. Chaleureux repas pris en commun, plaisir de regarder ensemble un film-culte ou une émission culturelle, accueil d'un invité de marque qui nous nourrirait de son expérience. Le tout dans une atmosphère privilégiée.

Et, plus récemment, me proposant son veuf blindé, ne m'avait-elle pas parlé de revenir de loin en loin à L'Escale pour une festivité ou une autre ? Bref : ne pas me priver du meilleur.

On ne pouvait dire que le premier repas liant avait été une réussite. En ce qui concernait la culture sur le petit écran, seule Claudette (la veinarde) en profitait tout en dégustant son plateau-repas bien garni, Priscille affirmant que faire deux choses à la fois nuisait à la bonne digestion et qu'il fallait se concentrer sur l'aliment, et Yuan n'étant pas vraiment fan de variétés.

Restait l'invité de marque qui nous nourrirait de son expérience.

C'est Claudette qui s'y est collée en conviant à dîner, avec bien sûr l'assentiment de tous, une collègue et amie, spécialiste du comportement des poissons et crustacés et qui, à son diplôme d'éthologie, avait ajouté celui de plongée sous-marine. Garance – c'était son nom – nous parlerait de la vie dans les abysses des océans et le cours des rivières. Nul doute : un grand moment en perspective !

Et si j'y conviais Alma que je n'avais pas revue depuis ma visite à Ginette (le bonheur des pieds) ? L'idée m'avait effleurée. Convaincre enfin mon amie que ma vie était autre chose qu'une suite d'erreurs regrettables. Mais la peur que la Clochette ne fasse des siennes, que Claudette se laisse aller à sa fantaisie et sachant que la Chine n'était pas sa tasse de thé, bref, qu'elle se croie tombée dans un asile de fous, m'avait retenue.

Du côté de Priscille, c'était le statu quo. Depuis que je l'avais vidée de la salle de bains, elle se tenait à carreau. Avait-elle fini par comprendre qu'avec moi elle n'aurait pas le dernier mot ? Que je ne la laisserais plus me polluer l'existence ? Après réflexion, j'avais pris la sage décision de la tutoyer.

Il y a toutes sortes de « tu ». Celui d'un ADN commun, pratiqué dans les familles, hélas souvent mêlé de venin. Le beau « tu » d'une amitié où chacun respecte l'autre, se dispense de lui envoyer des vannes, balaye devant sa propre porte. Pas évident, croyez-moi ! Sans compter le « tu » automatique, trop souvent pratiqué aujourd'hui, qui ne veut plus rien dire.

Il en est un dont on parle moins, et pour cause : le « tu » d'investigation qui permet d'avancer masqué dans l'intimité de l'autre, d'explorer ses zones d'ombre, de démêler les ficelles de son comportement, afin de mieux s'en défendre. Combien de fois en avions-nous parlé avec Paul.

Quoi qu'il en soit, pas question de laisser une foldingue tricophile entamer la belle sérénité que Yuan s'efforçait de m'apporter. Sérénité déjà mise à mal par ma propre fille et son site de rencontre. Car même si le maître en réflexologie s'intéressait davantage à l'esprit qu'au corps, jamais je n'oserais lui montrer – magnifique ou non – la partie saccagée de mon anatomie.

Durant notre seconde séance : travail sur le pied droit (point du foie, de l'estomac, du talent et de la chance), il avait tout de suite senti du nouveau : un visionnaire !

– Line, que s'est-il passé depuis notre première rencontre ?

– ․ ․ ․ (points de consternation).

Respectant mon silence, il s'était contenté de détendre ma nuque en fléchissant mes orteils d'avant en arrière, tout en m'enjoignant de lâcher ma respiration. Lors de notre prochaine séance, nous aborderions le sujet de l'aromathérapie : soins par l'arôme des huiles essentielles.

Bref ! En attendant, c'est toute la maison qui fleure bon le mérou, cuit au court-bouillon par Claudette. Un poisson dont la chair regorge de fer, phosphore et vitamine B2, qui nous sera servi avec une sauce aux algues rouges. Notre éthologue en a profité pour nous raconter les exploits du « mérou Goliath », géant des mers, capable de ne faire qu'une bouchée d'un requin de bonne taille : son mets préféré.

Et de conclure que, les poissons se dévorant allégrement entre eux, nous pourrions sans scrupules apprécier le festin-mer destiné à son invitée.

C'est elle qui a établi le menu, s'est chargée des courses et s'est mise aux fourneaux. Le mérou sera précédé d'un buisson de crevettes – mayonnaise faite main. Une île flottante, décorée de coquillages en chocolat, clôturera le repas.

Nous avons été autorisés à mettre le couvert et à préparer l'apéritif sur la terrasse. Dès 17 h 30, tout était en place. Ne restait plus qu'à attendre avec impatience la joliment prénommée Garance, célèbre personnage des *Enfants du paradis*.

27

Le grondement d'une moto de grosse cylindrée sur le chemin l'a annoncée, première surprise d'une soirée qui n'en manquerait pas. En tant que maîtresse de maison, je suis allée avec Claudette l'accueillir à la barrière. Toute de cuir noir vêtue, c'était une longue et belle femme d'une quarantaine d'années, cheveux blonds coiffés à la garçonne, regard clair. J'ai pensé à une Walkyrie.

Comme si elle me connaissait depuis toujours, elle m'a embrassée sur les deux joues.

– Chère Line, puis-je vous demander une faveur ? Me permettre d'aller saluer la Maine.

– Garance en rêve depuis des jours, l'a appuyée Claudette avec un rire tenant bizarrement du roucoulement.

Le festin attendrait.

Nous avons pris le chemin de la rivière, pieds dans la terre mêlée d'herbe qu'humectait la montée du soir, faisant se lever des nuées d'oiseaux que les amies s'amusaient à nommer en latin. Alors que nous parvenions à la berge, comme pour souligner notre venue, une gabare est passée, son gabarier fièrement dressé à l'avant. Il nous a saluées d'un coup de chapeau. En face, sur l'autre rive, Sainte-Gemmes, « fleur de la Loire », commençait à allumer ses lumières.

— Comme vous avez de la chance de vivre ici ! s'est exclamée la spécialiste des rivières.

— Qui sait ? lui a répondu tendrement Claudette.

Et là, seconde surprise et pas des moindres, alors que Garance ramassait un galet et le lançait dans le flot comme on fait un vœu, j'ai remarqué un tatouage à son poignet : deux lettres presque semblables, mêlées dans un cœur. Un C et un G ?

*

L'apéritif nous attendait sur la terrasse. Rosé d'Anjou cher à Colomba, œufs orangés de truite et de saumon, œufs noirs de hareng (dits « caviar du pauvre »), fines tartines de pain grillé.

Présentations faites, Yuan, en veste et cravate, chaussé de cuir souple, s'est tout naturellement chargé de proposer à boire. De surprise en surprise, Priscille a tendu son verre.

— Juste un petit fond pour partager la fête.

— Quelques œufs de poisson ? lui ai-je proposé dans la foulée.

Là, fête ou non, elle a refusé. Œufs de Georgette ou rien ? ai-je pensé méchamment.

— Et si tu nous parlais du beau sujet de ta thèse ? a très vite lancé Claudette à son invitée : « Si les poissons avaient la parole ».

– Eh bien, ils nous diraient qu'ils sont nos amis, a embrayé Garance, bien rodée.

En effet, au cours de ses multiples plongées, elle avait pu observer que rares étaient ceux qui cherchaient à la fuir. Au contraire, il fallait les voir s'approcher, tourner autour d'elle, semblant l'interroger de leurs grands yeux étonnés, cherchant sans aucun doute à nouer le contact.

On commençait seulement à reconnaître l'intelligence des habitants d'eau douce ou salée, nous a-t-elle expliqué. En voulions-nous quelques exemples ? Le poulpe, friand de chair de crustacé, était capable, pour satisfaire sa gourmandise, de dévisser, à l'aide de ses tentacules, un bocal où un crabe était enfermé. Une dorade, prisonnière d'un filet, parvenait, avec l'aide de ses sœurs, à s'en libérer, en mordant toutes sans relâche la même maille. Quant à la carpe, prétendument muette, repérant un hameçon dans son domaine, elle n'avait de cesse qu'elle ne prévienne les autres du danger, leur permettant ainsi de sauver leurs précieuses écailles.

– Bref, les poissons savent, à l'occasion, se serrer les nageoires, a conclu joliment Garance sous l'œil charmé de son amie. Ils sont bien davantage que les légumes insignifiants ou les bonnes pommes que beaucoup imaginent.

Ouille ! Tous les regards se sont tournés vers la forcenée du végétal. Comme perdue dans ses pensées, elle n'a pas réagi (rosé d'Anjou ?).

– Si nous passions à table, a proposé Claudette, fine diplomate.

C'est cette fois une bouteille de Maine-et-Loire (pour mémoire « vin tranquille ») qui a été ouverte. Le buisson de

151

crevettes, mayonnaise faite main, a eu droit à des applaudissements. Décidée à nous surprendre, Priscille a résolument présenté son assiette. Me souvenant d'un déjeuner peu tranquille, je craignais de la voir exhiber son pendule, elle s'est contentée de soulever la manche de son polo fleuri, découvrant une grosse montre bleutée.

– Mon coach santé, nous l'a-t-elle présentée.

Une invention récente qui permettait à tout moment à son propriétaire de vérifier sa masse graisseuse, mesurer le nombre de calories brûlées et contrôler son rythme cardiaque.

– Et que te dit ton coach ce soir ? a demandé avec précaution Garance, pour qui apparemment notre orthorexique n'avait pas de secrets.

– Qu'il m'autorise à faire une exception à mon régime afin de partager votre plaisir, a répondu la Clochette en trempant une crevette dans la jatte de mayonnaise.

Plus de doute, on nous l'avait changée !

« Si les poissons avaient la parole »... Tandis que nous dégustions la chair un peu ferme du mérou, rehaussée par la sauce aux algues rouges, Garance nous a parlé du livre qu'elle s'apprêtait à publier, suite logique à sa thèse : « Si les poissons pouvaient crier ».

Contrairement à ce que trop longtemps certains nous avaient laissé croire dont, hélas pour la profession, le philosophe René Descartes, les habitants des mers et des rivières avaient un système nerveux très développé et ressentaient la douleur. De nombreuses expériences, dont elle nous passerait le détail, démontraient que leurs soubresauts et autres tortillements n'étaient pas dus au plaisir de la danse. C'est pourquoi, à l'instar de Claudette pour nos amis terriens, elle ne consommait que poissons et crustacés dont elle était sûre de la provenance.

– Y a intérêt ! a lancé Priscille, décidément très en verve.

Et elle s'est octroyé une lampée de Maine-et-Loire.

Tous les regards se sont à nouveau tournés vers elle.

– Sinon, ils se vengent d'une mort cruelle en développant des histamines qui provoquent rougeurs, démangeaisons et maux de tête. Quand ce ne sont pas des troubles cardiaques, a-t-elle ajouté en désignant sa montre coach.

– Exact ! a confirmé Garance.

– Vous pouvez faire confiance à mon mérou, s'est précipitée Claudette. Acheté à un producteur qui pratique la mort douce.

– En endormant le produit de la pêche avec un mélange d'eau de mer et de glace, nous a appris Yuan, spécialiste du bien-être donc également du « bien partir ».

N'oubliant pas que la vanille, ingrédient indispensable à l'île flottante, venait de la glande pinéale du castor (située entre l'anus et la vessie), Priscille a calé sur le dessert. À cette exception près, et même si je n'ai pas regretté de n'y avoir pas convié Alma, ce premier repas a été une totale réussite.

Qui s'est achevée par des rires lorsque, Gertrude s'étant invitée pour thé et infusions, Claudette a fait son show en nous racontant que lorsque M. Tortue faisait la cour à Mme Tortue, il se privait de boire et de manger tout au long de la parade nuptiale, ne recommençant à s'alimenter que son but atteint.

J'ai eu droit à l'ultime surprise quand, de mon buisson-ardent le bien nommé, j'ai pu voir Claudette et Garance, arrivées au portail, échanger près de la voiture Karma de Yuan un baiser digne de la parade nuptiale qui venait de nous être si joliment décrite, même si aucune n'avait pratiqué le jeûne : but atteint ?

Quoi qu'il en soit : Gertrude, Georgette, Garance, c'était bien l'année du G.

*

Non ! On ne vous l'avait pas changée. Jamais la prêcheuse n'avait renoncé à convertir le monde, et vous en particulier, à son délire alimentaire. Vous, le maillon faible, la reine des pommes, la bonne poire, en un mot, la femme au foyer.

Pas une seule seconde, l'orthorexique n'avait eu l'intention d'abandonner son régime. Sous prétexte de partager votre plaisir, elle avait simplement, l'espace d'un repas, envoyé un leurre afin de reprendre son souffle pour mieux repartir en campagne.

Et votre instinct ne vous avait pas trompée lorsque après deux débarquements de roulotte, il vous avait soufflé « jamais deux sans trois ». Sous leur air idiot, les dictons ne sont pas nés de la dernière pluie.

Seule différence avec les deux précédentes intrusions, lorsque ce samedi après-midi, le camping-car déglingué s'est annoncé au bout du chemin, tout le monde était là. Yuan en méditation dans sa chambre, Claudette en extase devant la télé, Georges fièrement perché sur le toit de son poulailler, Gertrude à l'affût près du potager, vous lisant à l'ombre de Paul et la Clochette baguenaudant, nez au vent, dans le jardin.

Nez au vent ? Guettant l'arrivée de ses comparses, ouais ! Avant qu'ils aient atteint le portail, elle le leur ouvrait. À quoi alliez-vous avoir droit cette fois ? Une poule pour tenir compagnie à Georges ? Un mouton tondeur ? Une nouvelle bombonne d'eau miraculeuse ?

Tandis que, prudente, vous faisiez semblant de poursuivre votre lecture, un haut et volumineux paquet a été sorti de la roulotte, hissé sur le diable et poussé jusqu'à la terrasse où, alertés par le vacarme, Claudette et Yuan étaient apparus.

– Line, viens vite, c'est pour toi ! a crié Priscille, les mains en porte-voix. Cadeau !

Toutes les têtes se sont tournées vers vous. N'ayant hélas pas l'excuse d'être sourde, vous avez rejoint le petit groupe en traînant la patte.

– Salut !

Sans s'offusquer de votre accueil réservé, Tic et Toc ont arraché avec enthousiasme le papier entourant le mystère. Est apparu ce qui, à première vue, ressemblait à un transat-parasol-table basse.

Le transat a été déplié, le parasol déployé, la table fixée à un bras.

– Prends place, chère Line, vous a priée la donatrice.

Le plus vite vous en auriez fini… Vous avez obtempéré. Confort nul du « kit ».

– Peux-tu poser ton livre sur la table basse ?

Si elle y tenait.

Apparemment satisfaite, elle a poussé un gros soupir : de soulagement ?

– Comment aurais-je pu te laisser t'empoisonner plus longtemps ?

— Ah bon ? M'empoisonner ?

Elle a désigné votre confortable chaise longue vintage, appuyée à la tendre écorce de votre ami.

— Ne sais-tu pas que le marronnier est un arbre hautement toxique ? Que ses bourgeons renferment de l'escaline ? Que l'escaline peut provoquer des troubles respiratoires aigus ? Sans parler du contenu de ses feuilles ?

— Tu es sûre de ça ?

Tandis que Claudette et Yuan échangeaient un regard entendu (elle est folle), encouragée par votre sang-froid, Priscille en a rajouté une couche.

— Pardonne-moi, mais l'autre jour, il m'a semblé te voir manifester quelques troubles nerveux de mauvais augure, tu te souviens ?

Très bien ! Le jour de votre bain grand tralala où elle avait failli vous électrocuter avec le sèche-cheveux.

— … indiquant que tu pourrais bien nous mijoter une saponite.

— Maladie respiratoire due, en effet, à certains arbres toxiques, vous a amicalement enfoncée Claudette.

— Et je ne parle pas de ses marrons, pièges pour les enfants, qui y creusent, en toute innocence, des paniers, quand ce ne sont pas des berceaux, a rempilé la conteuse.

— Vraiment ?

— C'est pourquoi j'ai décidé de t'offrir ce transat-parasol qui te permettra de lire sans danger sur la terrasse. Surtout, ne me remercie pas !

Vous avez récupéré votre livre sur la table et quitté son transat pourri. Sans élever la voix, sans précautions oratoires, mots sabre au clair, vous lui avez envoyé dans les gencives qu'elle pouvait garder son cadeau. Si vous aviez parfois du mal à respirer, que vos nerfs couraient à fleur de peau, que vous venaient de sombres et inavouables pensées, vous en connaissiez parfaitement la raison : elle et son acharnement à vouloir vous entraîner sur ses chemins tordus.

Sous l'œil ravi de Claudette, perplexe de Yuan, consterné des deux imbéciles heureux qui l'accompagnaient, vous lui avez dit qu'elle pouvait garder sa montre coach et son régime à la ramasse, plutôt mourir que d'y adhérer.

Et maintenant, si elle le voulait bien, vous alliez reprendre votre lecture à l'ombre de votre ami.

29

Étendue sur le matelas, dans la chambre numéro 2, yeux clos, j'écoute Yuan me conter le langage olfactif des plantes.

« Si les plantes avaient la parole » ?

Pour cette séance d'aromathérapie, il a délaissé mes pieds et, de son doigt humecté d'huiles essentielles, il procède par petites touches sur ma nuque, l'ourlet de mon oreille et même le long de mon cordon d'argent (plexus). Lorsque, pour ce faire, il a déboutonné ma robe de plage, tout s'est mis à tourner, comme disent les enfants. Et ce n'est pas ce qu'il me révèle qui risque d'arrêter le manège. Écoutez seulement.

Au Panthéon des essences parfumées se trouve le jasmin, cueilli en Égypte par des princesses en sari qui lui murmurent des mots d'amour. Sa fragrance incomparable exprime une sensualité érotique directement issue du *Kamasutra*, le fameux parchemin indien qui décrit des positions sexuelles diverses et variées, poétiquement illustrées. Peut-il se permettre de m'en citer quelques-unes parmi les mille qu'il contient ? « Le bateau ivre », « Le cheval renversé », « L'oiseau prenant son envol ».

Oups ! Sans me laisser reprendre mon souffle, il change de flacon (qu'importe le flacon pourvu qu'on ait l'ivresse ?) et me fait respirer la tubéreuse des Indes aux jolies fleurs ivoire en forme d'étoile, semées sous le pas des éléphants lors des parades religieuses, tressées en colliers à l'occasion des mariages. Fleurs complices des premières nuits d'amour en diminuant l'anxiété et stimulant le désir des partenaires.

Amour, désir, « cheval renversé », partenaires… la suite m'échappe un peu. Jusqu'à ce qu'un nom me ramène sur terre : la vanille.

LA VANILLE ?

Plante hermaphrodite, épousant les deux sexes, cultivée dans des îles lointaines, sa sensualité reste un mystère. Ceux qui refusent de se servir dans les glandes du castor l'appellent « Magic ardeur ».

C'est à cet instant que, sous les pressions-caresses embaumées du maître, ma libido, massacrée par une balafre entre nombril et pubis, a émis un faible son, entraînant dans mon être une ineffable langueur, ignorée jusque-là.

Yuan s'en est-il aperçu ? Y a-t-il vu une ouverture ? Sans doute, puisque, tout en accentuant la pression, il a ordonné :

– Dites-moi, Line…

Les mots sont venus tout seuls, coulant de source, montant du plus intime de moi-même. Je lui ai avoué que la nuit dernière j'avais rêvé que j'assassinais Priscille en la poussant dans la Maine, une pierre suspendue à son cou. Dans la foulée, je lui ai révélé mon lien particulier avec Paul.

Progressivement sa main m'a quittée. Il s'est penché sur mon oreille pour mieux être entendu. Et tandis qu'il s'exprimait, je sentais son souffle chaud sur ma joue.

– Qui n'a eu, un jour ou l'autre, la tentation d'éliminer son prochain ?

Un frère, une sœur, un supérieur. Ou, plus banalement, l'automobiliste qui a eu le culot de vous faire un doigt d'honneur ou une queue de poisson ?

Pour les règlements de comptes familiaux, la Sainte Bible, comme l'Histoire ancienne nous en fournissaient maints exemples : Caïn et Abel, Ésaü et Jacob, Romulus et Remus... Moins loin de nous, mues par une jalousie dévorante, il y avait les sœurs Papin, se liguant pour exécuter leurs patronnes. Endettement, héritage, rancœurs, représailles ou simple énervement passager, la liste des mobiles était sans fin. On pouvait le constater chaque jour en feuilletant son journal ou en regardant les nouvelles à la télévision.

Puisqu'on parlait de télé, tout à fait réveillée, je me suis permis d'ajouter à la liste Dexter Morgan, héros de la série-culte américaine, où tout le monde trucide tout le monde, ce qui, fatalement, engendre des vocations.

En conclusion, après m'avoir pleinement rassurée, Yuan m'a répété que je n'avais pas à m'en vouloir d'un rêve éveillé bien compréhensible. Claudette et lui avaient également été choqués par la façon dont Priscille prenait pour cible un arbre qui n'avait pas choisi de naître marronnier. Il m'a conseillé de prendre mes distances vis-à-vis d'elle et de me tourner résolument vers les bonnes surprises que la vie réserve à ceux qui nourrissent des pensées positives. Pour m'y encourager, après m'avoir aidée à me relever, il a reboutonné lui-même les boutons de ma robe et, comme je ne pouvais retenir un frisson, il a, l'espace d'une seconde, à moins que je ne l'aie rêvé, effleuré mes lèvres des siennes.

Quelques jours plus tard, comme pour couronner cet instant, la bonne surprise est arrivée.

30

En ce début d'après-midi de vendredi saint, j'ai fait un saut à Angers sur mon vélo afin d'y acheter les quelques œufs en chocolat que les cloches de Pâques déverseraient à L'Escale.

Impossible d'y déroger sans trahir mes plus chers souvenirs d'enfance. Ce jour-là, mon père invitait à partager la fête les enfants de collègues, moins gâtés que nous, qui ne disposaient pas d'un jardin. Secondé par mes grands frères, Nicolas et André, tandis que la douce maman se préparait pour la messe où, bien sûr, il l'accompagnerait, il cachait la précieuse manne dans bosquets et buissons, laissant dépasser ce qu'il fallait de ruban pour qu'elle ne soit pas trop difficile à trouver, tandis qu'à l'affût derrière une fenêtre, je trépignais, honteuse d'être jalouse.

À midi, les clochers de la ville sonnaient la ruée à laquelle de nombreux parents assistaient. La récolte était déposée sur une table, comptée et recomptée, avant de procéder à la distribution. Puis le champagne était sablé. Mon généreux papa !

Pour ce dimanche 5 avril, j'ai convié, avec l'assentiment de mes partenaires, Colomba et Maxence, appréciés de tous, et pris chez le meilleur chocolatier de la ville – au diable l'avarice – six beaux œufs entourés d'une faveur, évitant soigneusement cloche, clochette ou poisson. On n'est jamais trop prudent.

Il est 16 heures quand, alors que je rentre à la maison, toute joyeuse, pleine de pensées positives parfumées au jasmin et à la tubéreuse des îles, une petite bombe me fonce dessus, manquant de me renverser avec mon panier.

– MÉMÉ !

Charles, 9 ans, mon petit-fils, aîné de Thomas (pour mémoire apiculteur sur l'île de Beauté).

Je bredouille :

– Mais qu'est-ce que tu fais là ?

– On est venus avec papa te faire une surprise et moi j'ai eu mon baptême de l'air.

Il pointe mon panier :

– C'est pour qui, les œufs ? Y en a un pour moi ?

– Bien… bien sûr.

Et voilà mon fils, apparaissant sur le seuil de la châtaigneraie. Il nous rejoint en deux enjambées de faucheux (1,92 mètre), innocemment j'ouvre les bras.

– Je peux savoir qui occupe MA chambre ? attaque-t-il en les ignorant.

Je referme. Chambre numéro 3, Claudette. La seule idée de devoir tout lui expliquer m'anéantit. D'autant que mon fils n'a pas le caractère heureux de sa sœur. Petit, on l'appelait « le martyr ».

En avant pour le grain à moudre.

– Racket du fisc sur L'Escale. Droits de succession maousses. Pour pouvoir rester, j'ai dû prendre des locataires, enfin pas exactement, Colomba t'expliquera.

Non sans raison, Thomas s'est toujours méfié de sa sœur.

– Pas moyen de faire autrement ? Sûr de sûr ?

Je soupire.

– Ton père était raide.

– MAMAN !

– Oh, pardon !

Je ramasse piteusement mon panier et nous nous acheminons vers la porte, ouverte à deux battants. Charles nous précède pour crier sur le coq qui se réfugie dans son poulailler (le veinard).

À propos…

– Mais comment as-tu fait pour entrer ? C'était pas fermé à clé ?

Mon fils désigne le pyracantha (buisson-ardent).

– L'issue de secours de papa. On dirait que tu l'as trouvée.

« Issue de secours ». Je n'y avais pas pensé. Pour se sauver de qui ? Merci, Augustin.

– Toi, dans le foutoir, ma pauvre maman ! Et c'est qui, dans ta chambre, avec le matelas par terre et une épée dessus ?

– Pas une épée, un sabre de kung-fu.

– De kung quoi ?

Mais nous voilà arrivés at home, rejoints par Charles. D'où viennent ces odeurs bizarres ? La cuisine ? M'en approchant, l'horreur me fige. Sur la table de bois, tout le contenu du réfrigérateur dont la porte bâille sur le vide.

— En t'attendant, j'ai fait un peu de propre : le vrai bordel, là-dedans ! explique Thomas.

— Beurk, dégueulasse, renchérit Charles en touillant du doigt le contenu d'un des pots de confitures de légumes de Priscille. Et pourquoi le drôle de vélo sous l'escalier, il perd de l'eau quand on pédale ?

— Doux Jésus, tu as utilisé le vélo-lave-linge ?

— Le vélo-lave-quoi ?

Et soudain, devant l'air effaré de mon fils, face au désastre absolu, un rire m'a secouée. « Ces bonnes surprises que vous réservent la vie », avait dit Yuan. Merci, Thomas, d'être venu mettre les pieds dans le plat, apporter un peu de fraîcheur (si l'on peut dire) dans l'atmosphère glauquissime engendrée par la Clochette.

Et bien sûr c'est le moment qu'elle a choisi pour rentrer.

Tandis qu'elle découvrait le vélo dans sa mare, ses précieuses baies et autres confitures de légumes méli-mêlées avec les denrées impures des autres résidents, son visage est passé par toutes les couleurs de sa boîte à crayons. J'ai couru lui prendre la main. Pour un peu, je l'aurais embrassée.

— Chère Priscille, permets-moi de te présenter mon fils, Thomas. Je suis sûre que tu lui pardonneras d'avoir voulu faire du propre dans le frigo, il ignorait que les étagères étaient perso. À propos de propre, voilà Charles, mon petit-fils, qui a utilisé ton vélo-lave-linge. Tu connais les enfants. Puis-je compter sur toi pour passer l'éponge ?

Un peu honteux quand même, Thomas l'a embrassée sur les deux joues. Charles qui, comme tous les enfants, déteste les bisous d'adultes autrement que par SMS, s'est sauvé. Et maintenant ?

Histoire de m'éclaircir les idées, j'ai bu un grand verre d'eau du robinet en respirant à fond entre chaque gorgée. Tout ça était bien beau mais ne me disait pas où j'allais loger mes visiteurs. Merci, Colomba !

Colomba ? La sœur de Thomas, la tante de Charles, la responsable du bordel. L'évidence s'est imposée : dans son spacieux quatre-vingt-dix mètres carrés, bien sûr !

Une idée de génie ne venant jamais seule, j'ai décidé, dans la foulée, de renouer avec Alma, marraine de Thomas, en nous invitant à déjeuner chez elle demain. Ainsi ne reviendrions-nous dans la pétaudière que pour le beau jour de Pâques, la distribution des œufs. (Penser à en reprendre deux chez mon chocolatier.)

Je me suis jetée sur mon fils pour lui faire part des bonnes nouvelles. Un peu étourdi, il n'a pas dit non. Vite, avant qu'il se ravise, j'ai récupéré mon panier d'œufs, foncé dans le foutoir, l'ai balancé sur mon futon, ai attrapé au passage l'un des albums offerts à moi par la Clochette afin de ne pas arriver les mains vides chez Alma, fermé la porte à triple tour, regagné le living.

Où Yuan, coiffé d'une toque noire assortie à sa tenue de guerrier en réflexologie, faisait son entrée.

– Waouh, un Japonais ! s'est écrié Charles, fan de mangas.

– Plutôt chinois si tu n'y vois pas d'inconvénient, a rectifié Yuan, zen, à son habitude.

Lorsque je lui ai présenté la double surprise, son regard a brillé. Ai-je rêvé qu'il me tutoyait : « Tu vois » ?

Se souvenant d'un sabre en travers d'un matelas, Thomas paraissait soudain pressé de quitter les lieux.

– Maman, j'appelle un taxi ?

167

– Ma voiture est à votre disposition, s'est empressé le maître.

J'ai sorti de ma poche les clés de la 4 × 4.

– Inutile, je l'accompagne.

– Le tank de papa, tu le conduis, toi ? s'est étranglé Thomas, pas au bout de ses surprises.

– Et pourquoi pas ?

Tandis qu'il récupérait son sac de voyage, Charles son sac à dos, j'ai expliqué en deux mots la situation à Yuan et je l'ai remercié pour sa proposition d'utiliser sa voiture, à la vérité, j'en rêvais depuis longtemps. Un autre jour, peut-être ? « Compte sur moi », m'ont promis ses yeux, me tutoyant à nouveau.

Il nous a accompagnés jusqu'à la porte du bûcher.

Après tant d'émotions, il ne m'a pas paru prudent de laisser le volant à mon fils. D'ailleurs, il ne me l'a pas réclamé. Ne lui restait plus qu'à faire la connaissance de notre éthologue, l'occupante de la chambre numéro 3, la sienne. Le hasard faisant bien les choses, une fan des abeilles.

J'ai évité de justesse sa voiture-ferraille alors que, tel James Hunt sur sa McLaren, je franchissais le portail. Ses yeux exorbités étaient comme un poème montant du fond des mers. Ses partenaires lui expliqueraient.

31

Ceux qui ont le bonheur d'avoir plusieurs enfants s'étonnent souvent de les voir si différents alors que, comme on dit : « Ils viennent du même moule. » Mêmes géniteurs, même environnement, même éducation et souvent même école.

Pourtant, voyez celui-ci, impatient de croquer la vie, sûr de lui, se riant des obstacles, tout pour réussir ! Tandis que celui-là marche à reculons, frileux, méfiant, replié sur lui-même, mon Dieu, que va-t-on bien pouvoir faire de lui ?

Spécialistes de tous bords ratiocinent sans fin sur la place qu'occupe l'enfant dans la fratrie. Comme s'il en était de bonnes ! Les malheureux parents se culpabilisent : n'ont-ils pas fait quelque chose de travers ?

Bien que nés à seulement dix-huit mois d'intervalle, Colomba et Thomas étaient, elle le jour, lui la nuit. Mon aînée, positive, extravertie, entreprenante, ne voyant que le bon côté des choses et, dans son enthousiasme, totalement bordélique. Son cadet, timide, fragile, persuadé d'être né sous une mauvaise étoile, d'avoir l'univers contre lui, maniaque de l'ordre, chaque chose à sa place, rien qui dépasse : pour se rassurer ? L'enfant reclus en lui qu'il faut savoir embrasser par surprise et qui cache son maigre soulagement sous un air courroucé.

Thomas, né sous une mauvaise étoile ? Ah ah ! Disons plutôt sous le scintillement trompeur de décorations en barrettes sur la poitrine d'un père au comportement douteux (issue de secours). Tandis que Colomba, prenant exemple sur une mère, certes moins brillante mais exemplaire, n'aspirait qu'à grandir pour la dépasser.

Bref ! Durant le trajet jusqu'au loft de ma fille chérie, tandis que Charles se confiait bruyamment à son portable, j'ai demandé à Thomas de garder le silence sur la porte dérobée.

— Ta sœur en ignore l'existence. Mon petit secret…

— T'en fais pas, maman, j'ai l'habitude. Papa menaçait de me tuer si je t'en parlais.

Qu'est-ce que je disais !

C'est Maxence qui nous a ouvert. Me découvrant avec mes invités-surprise, se souvenant d'un pêle-mêle de photos, il a tout de suite compris de qui il s'agissait et, dans la foulée, de ce qui nous amenait chez Colomba.

— Entrez, entrez et faites comme chez vous, a-t-il lancé avec un beau sourire d'hospitalité.

Qui s'est teinté de fierté lorsque j'ai jeté négligemment les clés de la 4 × 4 dans le crâne vide-poche vintage, clignotant sur la console dorée du loft.

Tandis que père et fils faisaient le tour des lieux, découvrant l'antique poêle à bois et son immense tuyau dévoreur de plafond, les rocking-chairs, le transat scoubidou, les lampes zigzag, la belle affiche « Bouillon Kub » décorant la cuisine, je lui ai demandé s'il pensait que Colomba accepterait de les héberger durant le week-end.

– No problem ! Je suis sûr qu'elle sera ravie.

– Et où est-elle ?

– Au supermarché. Elle ne devrait pas tarder.

– Ma sœur n'a pas changé, toujours aussi foldingue, a déclaré Thomas, rassuré, en revenant vers nous.

– Pour te servir, a embrayé Colomba en apparaissant à la porte, traînant un Caddie chargé de victuailles.

Une soirée qui s'annonçait bien !

Après les effusions de rigueur et l'exposé du problème, ma fille a déclaré qu'elle prenait tout le lot, moi incluse. Pas question de séparer la famille ; on se serrerait, ce serait gai.

Pendant qu'elle vidait son Caddie, j'ai appelé L'Escale. C'est Claudette qui a répondu :

– Alors, tu reviens quand ? Tu manques ? Sans toi, l'ambiance c'est pas ça.

Je lui ai répondu que, pour l'ambiance, il lui faudrait attendre dimanche, les œufs de Pâques. La sentant déçue, je lui ai suggéré d'inviter Garance : plus on est de folles ! Elle m'a avoué y avoir pensé (moi, penser à acheter un œuf supplémentaire chez mon chocolatier).

Le dîner a été un vrai bonheur : gigot d'agneau de provenance inconnue, cuit au gaz dans la cuisinière récup quatre feux, boîtes de haricots et de flageolets promo, glaces industrielles pour terminer. Le tout arrosé de vin, Coca et eau du robinet. Quel repos !

Colomba a pris des nouvelles de Cordélia (pour mémoire, épouse de son frère) et de leur petite dernière, prénommée Cassandre (fille de Priam, roi de Troie, réputée pour ses prophéties apocalyptiques : Thomas le martyr).

– Pareille à elle-même, a-t-il répondu sombrement.

– Mon pauvre ! Et elle n'a pas demandé à t'accompagner ?

– Grâce au ciel.

Requinqué par la bonne ambiance délétère, Thomas a tenu à appeler lui-même sa marraine, dès le repas terminé, pour lui proposer de venir le lendemain lui faire un petit coucou avec Charles. Comme prévu, Alma mater a insisté pour les avoir à déjeuner. Serais-je présente ? Bien sûr ! Colomba ? Hélas prise ailleurs (hum !).

Il était presque minuit lorsque nous sommes allés nous coucher. Moi, dans le grand lit de ma fille, Maxence et Charles dans les lits gigognes de la chambre d'ami, et Thomas entre les bras du canapé de cuir craquelé, joliment appelé : « canapé Fitzgerald ». Tendre est la nuit ?

32

Si, dans le loft de Colomba, le passé vous fredonne sa douce chanson à l'oreille, avant d'entrer dans le deux cents mètres carrés d'Alma, mieux vaut oublier son âme. Rien que du tape-à-l'œil, du design muet, de la musique synthétique.

Durant le trajet qui nous menait chez elle, Thomas a tenu à s'arrêter pour lui acheter un bouquet. J'en ai profité pour faire la leçon à Charles.

— Tu éteins ton portable, tu ne parles pas la bouche pleine, tu ne mets pas tes coudes sur la table, tu ne lèches pas ton assiette à dessert. Si une envie pressante te vient — tu vois ce que je veux dire —, tu oublies le mot « chiottes », tu vas au « petit coin » faire une « petite ou une grosse commission ». Et surtout, surtout, tu ne m'appelles pas « Mémé », le comble de la vulgarité.

— Et c'est quoi, le comble de la vulgarité, mémé ?

— C'est tout le monde sauf la dame chez qui nous allons.

Et même s'il ne voyait pas très bien ce que je voulais dire, Charles a promis.

Vêtue de cachemire, coiffée Roméo, Alma nous a accueillis à bras ouverts. Avant qu'ils en soient revenus, mes hommes se sont retrouvés les joues tamponnées de rouge. Thomas a été remercié pour ses quelques fleurs, moi pour l'album de contes qui ferait certainement la joie de ses petits-enfants. De bras en bras, nous sommes passés à ceux de Baudouin, lui, trois poils sur le caillou, visage sillonné de rides de désillusion, épaules courbées, méritant amplement son nom de « saint ».

Marine, la jeune et jolie étudiante au pair qui secondait Alma lorsqu'elle recevait ses six chenapans et aidait au ménage et à la cuisine, contre chambre, cabinet de toilette et couvert, nous a été présentée. Bien sûr, elle partagerait le repas avec nous, un repas « moyens du bord », nous a expliqué la maîtresse de maison (pas de petites économies) : poulet de batterie, purée en flocons, salade sous vide, fromage pâte-béton et fruit de saison (banane), le grand raout ayant lieu demain, dimanche de Pâques, la famille au grand complet : douze personnes quand même.

Nous nous sommes mis à table et, bien sûr, c'est sur la famille, son sujet favori, que très vite, la conversation a tourné.

Quel bonheur de voir celle-ci croître et embellir au cours des années, n'est-ce pas, Baudouin ? Quelle douceur d'en être si bien entourée, n'est-ce pas, Marine ? À propos, Linette, ta Colomba, toujours pas de mari en vue ? Pas même un compagnon ? (Si, Max.) Rappelle-moi l'âge de ta fille ? 36 ans, vraiment ? Comme le temps passe. Si elle veut te donner un petit, il faudrait qu'elle se dépêche avant qu'il ne soit trop tard.

Toujours aussi flashy, Thomas m'a lancé un regard de détresse. Atteignant un sommet dans la perversité, Alma s'est tournée vers Charles, sage comme une image, qui dégustait, à l'aide de sa fourchette, son blanc de poulet de batterie, morceau préféré des enfants.

– Et toi, mon pauvre chéri, les cousins et les cousines ne te manquent pas trop ?

Poliment, il a avalé sa bouchée.

– Mais, madame, j'en ai plein à Saint-Florent des cousins et des cousines. Et aussi plein de tantines et de tontons.

Ouille. Tantines et tontons également à bannir du vocabulaire de la maison.

– Du côté de Cordélia, je suppose ! a lancé Alma à Thomas, la lippe dédaigneuse.

C'est alors que je me suis entendue dire :

– De mon côté aussi, Charles est bien servi. Aurais-tu oublié mes frères, Nicolas et André ?

Et j'ai envoyé à mon fils, dont le regard s'assombrissait (que lui avait-on encore caché), un regard d'avertissement : chut !

– Aurais-tu des nouvelles d'Australie ? s'est exclamée Alma, moyennement contente.

– Paul !

– TON Paul ? Il les connaît ?

« Mon » Paul. Cette fois, les yeux de Thomas se sont emplis de noire suspicion. Seigneur, dans quel pétrin m'étais-je encore fourrée. J'ai touché mon bracelet de jade (paix intérieure) afin qu'il m'aide à m'en sortir dignement.

– N'oublie pas qu'il voyage beaucoup.

— Et il a rencontré tes frères ? Ne me dis pas qu'ils vont revenir ?

Dire ? Ne pas dire ? Me voyant dans l'embarras, Charles le téméraire a volé à mon secours.

— De toute façon, madame, Mémé veut pas être une mémé comme vous, elle dit que c'est vulgaire.

33

Bon, bien, recalculons une dernière fois. D'abord, la famille : un œuf de Pâques pour Thomas, un pour Charles, un pour Colomba et son Maxence : quatre. Passons à L'Escale : un pour Yuan, un pour Claudette et sa Garance (avec friture), et un pour Priscille (le moyen de faire autrement ?) : quatre également. Quatre et quatre : huit. Bon chiffre : allant, audace, sens des affaires.

Diverses surprises aidant, m'en manquaient trois : Thomas, Charles et Garance. C'est ainsi que, tôt ce dimanche, je me suis glissée hors de la maison, direction mon chocolatier, pour compléter la moisson. 8 h 30, j'étais la première cliente (vu le jour, certainement pas la dernière). En remerciement de mon assiduité, j'ai eu droit à un spécimen à déguster sur place. J'ai choisi une clochette au chocolat amer et je n'en ai fait qu'une bouchée. Mmmm, délicieuse !

Le loft s'éveillait quand je suis rentrée. Nous avons partagé le petit déjeuner – pain grillé à point sur de bonnes vieilles plaques d'amiante. Déjà 11 heures ? Le temps de se faire beaux et il nous faudrait prendre notre essor pour L'Escale.

L'impatiente Colomba a emprunté sa moto à Maxence afin d'être libre de rentrer dès qu'elle en aurait assez. Tenant à juger des progrès de son élève, Maxence a tenu à monter dans la 4 × 4. Tandis que Thomas et Charles s'installaient à l'arrière, je me suis étonnée que mon petit-fils n'ait pas préféré faire le trajet sur un gros cube.

– Je lui ai promis qu'on s'arrêterait au McDo, m'a répondu son père.

Au McDo ? Jour d'agneau pascal, de résurrection, de saintes traditions ?

En Corse, pour les enfants, et même parfois pour les adultes, le continent était synonyme de la fameuse enseigne, m'a expliqué Thomas.

Me souvenant que la veille le pauvre Charles n'avait pas pu terminer son blanc de poulet en raison d'un malaise vagal d'Alma (ralentissement sans gravité du rythme cardiaque à la suite de fatigue ou de grosse contrariété), qui nous avait contraints à quitter précipitamment les lieux, je me suis inclinée. C'est ainsi que durant le trajet champêtre en bord de Maine, le tank a fleuré bon le steak haché et la frite chaude.

Si présent ces derniers jours, le soleil boudait. Ciel gris, comme parcouru d'un murmure menaçant : « Calme avant la tempête » ? Pourquoi ce dicton éculé m'est-il revenu à l'esprit tandis que se dessinait le toit de L'Escale ? Je m'en souviendrais.

Colomba était déjà arrivée. La joyeuse cohue qui a salué notre entrée dans la châtaigneraie m'a permis de filer en douce dans ma chambre y récupérer mon panier d'œufs et y rajouter les nouveaux. Ne restait plus qu'à les cacher en vitesse dans le jardin avant que les cloches s'ébranlent.

Les cloches ? Charles ayant déclaré qu'il était trop grand pour y croire (pressé de déguster son big-mac chaud, ouais !) je me suis contentée, lorsqu'elles ont sonné, de procéder à la distribution.

Surprise, il en manquait un ! Le mien.

Ça a mis une ambiance d'enfer, chacun voulant partager le sien avec moi.

– Ma mère n'a jamais su compter, expliquait Colomba, hilare, à la ronde.

– C'est tout elle : se sacrifier pour les autres, déplorait Thomas.

Le regard tendrement complice de Yuan (au courant du sacrifice majeur : Augustin) valait les meilleurs œufs de Pâques du monde. Pour ne pas ternir l'enthousiasme, je n'ai rien dit de la clochette dégustée sur place et mon fils a réglé le problème en m'offrant le pot de miel de maquis (bruyère blanche, lavande maritime et genêt), apporté de Saint-Florent pour me remercier de l'héberger à L'Escale (raté !).

Ne restait qu'à ouvrir la bouteille de champagne offerte par Garance et trinquer.

Avec un regard de contrition dans ma direction (parasol), Priscille a résolument tendu sa coupe.

34

C'est Yuan qui s'est chargé du plat principal : ces travers de porc au miel dont il m'a parlé le jour de son emménagement. Une jolie attention vis-à-vis de mon apiculteur ? Sauce soja, riz basmati.

Claudette a apporté les fromages, Garance une tarte aux pommes en plus du champagne, Priscille a exécuté une frisée, n'en gardant que le cœur.

Pour la boisson, eau, vin de Maine-et-Loire, rosé d'Anjou et Coca. Lorsque Charles, assis en bout de table près de son ami Maxence, déballe son big-mac-deux étages : pain au sésame, steak haché, cheddar fondu, oignons, ketchup, accompagné de son cornet de frites géant (trente-quatre morceaux de sucre et huit portions de beurre, selon les nutritionnistes, sans oublier les vingt-cinq carrés de sucre dans le Coca), il y a comme un flottement. Chacun évite de regarder du côté de la montre coach. Près d'exploser ?

Claudette détend habilement l'atmosphère.

— Bon appétit, vieux ! lance-t-elle à Charles.

— Bon transit, en rajoute drôlement Garance.

— Il faut savoir faire des exceptions, remarque sagement Yuan en serrant ma main sous la nappe.

Priscille, un sourire évanescent aux lèvres (champagne ?), rabat sa manche sur son coach.

Tandis que nous savourons les travers, la conversation roule, bien sûr, autour du miel, Thomas à l'honneur. D'où vient sa vocation ? Parmi toutes les fleurs de l'île de Beauté, quelles sont ses préférées ? Craint-il les piqûres d'abeilles ?

Ce sont les fleurs sauvages qui ont sa préférence. Les piqûres ? Le venin des abeilles est souvent moins redoutable que celui de nos semblables. Et, vocation ou non, lorsqu'il s'occupe de ses pensionnaires, il ne peut se permettre de penser à autre chose, c'est toujours ça de pris. Sans compter que de les voir butiner, si laborieuses, le réconcilie avec un monde peuplé de profiteurs.

— Si laborieuses et aussi si généreuses, s'écrie soudain Priscille, prenant tout le monde de court (sauf Charles occupé avec son big-mac).

— Généreuses ? s'étonne l'intéressé.

— Partageant leur nectar avec les autres animaux dans une communion sublime entre faune et flore.

Il est rare d'entendre le rire de mon fils. Lorsque cela se produit, c'est comme un déferlement de tous ceux qu'il a retenus.

Partageuses, les abeilles ? a-t-il explosé. Contraintes et forcées, ouais. En guerre permanente avec le pivert, ce feignant, qui perce les ruches de son bec afin de se servir gratis. Attaquées sans relâche par les griffes du blaireau et de sa commère la marte, détruisant sans vergogne ses rayons. Sans oublier les insectes divers, les reptiles et les mammifères au rang desquels l'homme se plaçait en pole position.

Claudette a confirmé. Garance a évoqué les poissons qui ne se gênaient pas, eux non plus, pour se servir dans le garde-manger de leurs congénères, allant même jusqu'à piquer leurs œufs. Et sur ce mot (champagne ?), Priscille nous a gratifiés d'un humoristique soupir-sourire.

Le reste du repas s'est terminé dans la bonne humeur.

Finalement, le ciel s'était éclairci. On a même pu prendre le café sur la terrasse en dégustant les œufs de Pâques. Yuan ayant déclaré qu'il ne toucherait pas au sien si je refusais de le partager, je me suis inclinée.

Colomba est partie la première, emmenant Maxence avec elle : sieste gourmande ? Alors que je les raccompagnais au portail, elle a remarqué, perplexe :

– Dis donc, mamounette, Yuan et toi ça m'a l'air de rouler...

– Comme entre Max et toi, ai-je répondu hardiment.

Laissant la conclusion à sa réflexion.

L'aéroport d'Angers se trouve à une petite heure de la ville. L'embarquement pour Bastia avait lieu à 17 h 35, aussi nous sommes-nous ébranlés dès 16 heures. Les adieux ont été chaleureux. Bel effet du big-mac, Charles a tendu ses joues à tous les amateurs de chair fraîche. Mon flashy a promis de revenir un jour, sait-on jamais, on verrait bien. Devinant qu'il mourait d'envie de prendre le volant du tank que son père lui avait toujours refusé, je le lui ai laissé.

Tandis que mon petit-fils retrouvait ses marques en pianotant frénétiquement sur son portable, Thomas m'a confié qu'il m'avait trouvée changée, embellie, en un mot, rajeunie. Venant d'un fils, cela m'a particulièrement touchée.

N'empêche que, dans son regard, au moment des adieux, j'ai pu lire un très net « ils sont fous ces continentaux », qui ne m'a pas plus étonnée que ça.

D'autant que sur le chemin du retour, exaltée par ce merveilleux week-end-surprise, roulant sans doute un peu trop allégrement, j'ai coulé une bielle, ce qui m'a valu un retour peu glorieux à L'Escale dans une dépanneuse.

Au figuré, « couler une bielle » veut dire perdre la tête : richesse de la langue française.

Comme ce dicton si pertinent : « Il n'y a pas plus aveugle que celui qui ne veut pas voir. »

Moi !

TROISIÈME PARTIE

« ENVOLE-TOI »

35

Dans la vie, il y a les hauts et les bas. Et il y a le point de non-retour, le « plus jamais » glacé, définitif, qui tire un trait sur le passé. On regarde l'autre et on sait que c'est terminé. Quel que soit le prix à payer, les cris, les larmes, la menace, le remords, on ne reviendra pas en arrière. Et on éprouve à la fois un soulagement et la douleur de grandir.

3 heures venaient de sonner cet après-midi de fin avril, je lisais auprès de Paul lorsque Priscille Blondeau s'est approchée. Son visage était grave, ses yeux rougis. Elle m'a demandé de lui pardonner d'avoir voulu me séparer de mon arbre, elle reconnaissait que c'était une erreur et n'y viendrait plus.

Ayant quelque chose d'important à me dire, elle souhaitait me parler sans risque d'être interrompue. Accepterais-je de la suivre dans sa chambre ?

Celle-ci étant fermée à clé, j'avais dû renoncer à m'y glisser en son absence et je m'étais souvent interrogée sur ce qu'elle y cachait, aussi ai-je accepté sans hésiter, un peu étonnée toutefois qu'elle me propose son bras pour y monter. Là, non, merci.

Un lit fait au carré, une bombonne d'eau à robinet, des étagères chargées de boîtes et autres mystérieux flacons soigneusement étiquetés... À première vue, rien de transcendant.

Elle a désigné un fauteuil à oreilles en kit : bois et coussins.

– Si tu veux bien.

Je m'y suis laissée tomber tandis qu'elle prenait place sur une raide petite chaise près de la table où un dossier était posé. Après avoir profondément respiré, yeux mi-clos, elle s'est décidée.

Voilà ! Elle n'avait pas été sans remarquer, ces derniers temps, une certaine fatigue chez moi, une tendance à m'isoler, quand ce n'était pas un refus de communiquer. À plusieurs reprises, elle avait tenté de m'approcher pour m'en demander la cause. En vain ! Et enfin, il y a une dizaine de jours, très exactement le lendemain du départ de mon fils, j'avais bien voulu la lui donner : j'en avais « plein le dos ».

Le dos, miroir de notre santé ! Selon certains médecins, le mal du siècle.

Hernie discale, lumbago, détestable arthrose, elle ne m'en dirait pas plus pour ne pas m'affoler, mais ma santé lui tenant à cœur, comment ne se serait-elle pas alarmée ? Et si un jour mon « plein le dos » s'aggravait et que j'éprouve des difficultés à me mouvoir ? Si, par ailleurs, ces sortes d'essoufflements qui, de plus en plus souvent, me privaient de voix – elle l'avait remarqué aussi – m'empêchaient, en cas de chute, d'appeler à l'aide ? Pourrais-je continuer à habiter

188

cette maison que tous nous aimions tant, si belle mais aussi si isolée ?

C'est ainsi qu'elle avait décidé de prendre les choses en main. Et elle pouvait d'ores et déjà me rassurer, rien ni personne ne m'obligerait à la quitter.

Elle a posé la main sur le dossier. Pour commencer, connaissais-je la loi « Alur », injustement baptisée « loi-fleuve » par ses détracteurs, ceux que dérange le principe de précaution qui évite pourtant tant d'accidents regrettables sur le plan alimentaire comme sur celui de la sécurité d'un logement ? Loi dont toute personne partageant sa maison était tenue de s'assurer qu'elle était respectée ?

Doutant que ma fille, certes sympathique mais, de son propre aveu, un peu bordélique, s'en soit inquiétée, elle avait mené ses propres recherches. Ayant la chance de savoir manier un crayon, elle avait réalisé plusieurs croquis détaillés de L'Escale, intérieur et extérieur, puis elle s'était rendue à la mairie où on l'avait dirigée vers les services concernés où elle avait été reçue par Mme Flanchet, une femme très aimable, qui avait accepté d'étudier lesdits croquis ainsi que la situation de la maison sur le cadastre.

La réponse ne s'était pas fait attendre. Aucune étude n'ayant été menée depuis l'achat de la maison, une catastrophe sur tous les plans.

Passons sur les risques sismiques – encore qu'ils soient bien réels en Maine-et-Loire. La chance voulant que nous nous trouvions en zone modérée, aucuns travaux ne s'imposaient, du moins pour le moment. De même pour le risque d'inondation, L'Escale étant suffisamment éloignée de la rivière pour y échapper. Passons également sur la recherche d'amiante, hautement cancérigène, ainsi que sur le plomb dans l'eau et une installation électrique vétuste : on s'en occuperait plus tard. C'était sur mon confort, l'avenir de ma santé, très exactement l'objet de sa visite à Mme Flanchet, que rien n'avait été prévu. Bref, aucun accès à la maison pour un fauteuil roulant.

Son visage s'est empli d'indignation. Et que ferais-je le jour où mon dos me contraindrait à en utiliser un ? Comment franchirais-je les trois hautes marches du perron, passerais-je la porte trop étroite de l'entrée, descendrais-je la large marche qui séparait le living de la cuisine ?

Ainsi que le lui avait fait remarquer Mme Flanchet, chargée de l'application de la loi Alur, le handicap vient trop souvent plus vite qu'on ne le pense, il nous fallait donc, sans plus tarder, établir la liste des travaux à effectuer d'urgence : cimenter le sol du portail à la maison, installer une rampe d'accès pour personne à mobilité réduite à côté des marches et changer la porte. Voilà pour l'extérieur.

À l'intérieur, on devrait s'occuper de la marche et d'un parcours sécurisé jusqu'à ma chambre dont l'issue – elle l'avait vérifié – était également à revoir. Si je voulais bien la lui faire visiter, elle noterait les améliorations à y apporter.

Elle a laissé échapper un soupir : bien entendu, ces travaux réduiraient notablement l'espace et nous devrions en aviser les autres partenaires, mais elle était convaincue que, ni Yuan, particulièrement empressé auprès de moi en raison de mon âge, ni Claudette, si attentive à la fin de vie, ne s'y opposeraient.

Pas plus que le jour où, pour me permettre de continuer à prendre ces bains que je prisais tant, il faudrait envisager d'installer un monte-escalier électrique et, dans la foulée, changer mon antique baignoire pour une plus adaptée avec porte, siège de bain, bandes antidérapantes et signal d'alarme.

Priscille Blondeau a rapproché sa chaise de mon fauteuil. Elle a ouvert le dossier pour me faire admirer les différents modèles de fauteuils roulants, monte-escaliers et baignoires à porte. Que je prenne tout mon temps pour choisir. Je trouverais également ses dessins ainsi que les articles de la loi Alur. Elle en avait fait un double afin que je puisse y réfléchir à tête reposée.

Enfin, Mme Flanchet avait exprimé le désir de nous rencontrer, Colomba et moi, le plus rapidement possible. Notre bonne foi n'étant pas mise en cause, aucune amende ne nous serait infligée. Après la visite d'un architecte de notre choix et d'un expert assermenté qui suivrait la bonne marche des travaux, qu'elle tenait bien évidemment à payer sur sa cassette, ceux-ci pourraient commencer.

Comme elle était reconnaissante à Thomas, mon fils si attentionné, si préoccupé de mon bien-être. C'était grâce à lui qu'elle avait décidé de me prendre en charge, n'ayant pas eu le bonheur d'avoir une mère à choyer.

Elle s'est levée et m'a tendu la main pour m'aider à quitter le fauteuil à oreilles si bien conçu que, pour s'en extraire, il fallait s'appeler Sébastien Deschamps, champion olympique de saut en hauteur. Souhaitais-je qu'elle me raccompagne jusqu'à ma chambre ? Non ? Vraiment ? Pouvait-elle se permettre de m'embrasser ?

Il y a le point de non-retour. Désormais, mon seul but : liquider Priscille Blondeau.

36

J'ai appelé Yuan sur son portable. C'était la première fois, j'ai souvent peur de déranger. Il a répondu immédiatement et, en entendant sa voix, j'ai oscillé entre espoir et désespoir.

Je lui ai dit que j'avais besoin de le voir d'urgence, surtout pas à la maison et, si possible, sans que nul le sache. Pourrait-il m'avertir lorsqu'il quitterait son travail afin que j'aille le guetter au bout du chemin ?

– Dans une petite heure, Line. Le temps de me retourner, cela vous convient ?

Le temps de se retourner, se tourner vers moi – espoir. Cela me convenait. J'y serais.

Il n'était que 5 heures, je me suis changée, coiffée, maquillée un peu puis, sans attendre – désespoir –, je suis sortie par la porte dérobée en laissant une lumière allumée afin que Priscille Blondeau me croie là. Ses rideaux étaient tirés, je ne pense pas qu'elle m'ait vue passer le portail.

La soirée était calme, le ciel teinté de rose annonçait la venue de la nuit. Plus bas, la Maine s'étirait langoureusement. Un jour de plus qui s'en allait, un jour apparemment comme les autres sinon qu'il aurait changé les couleurs de ma vie : avant, après.

– Line ?

La Karma de Yuan s'arrêtait près de moi, si silencieuse que, perdue dans « l'après », je ne l'avais pas entendue venir. Il a ouvert la portière, je suis montée.

– Où voulez-vous aller ?

– N'importe où mais loin d'ici.

Il a démarré. J'ai posé la tête sur l'appui et tenté de me détendre dans l'odeur de cuir et de bois de santal – son eau de toilette –, reconnaissante qu'il ne parle pas. Pas encore.

Quelle joie je m'étais faite d'une balade dans cette voiture. Pour ne pas avoir l'air trop idiote, je m'étais même renseignée sur le mot « hybride » et, entre autres définitions, plus terre à terre, j'avais trouvé celle-ci si émouvante : « Croisement de deux individus, deux énergies faites pour se compléter ». La seule chose qui m'avait chiffonnée est que le seul exemple donné était « chien-loup ».

En attendant, on apercevait déjà les lumières de la ville. Où me conduisait Yuan : un café ? Une brasserie ? Un hôtel ? Brièvement, la brasserie-hôtel Marguerite d'Anjou m'est apparue, ses chambres cinq étoiles, sa baignoire queen-size... Il s'est arrêté. Nous étions arrivés.

Au jardin des Plantes.

– Venez !

Il a glissé son bras sous le mien et il m'a menée droit à la fameuse statue de pierre *La Matinée*, due au sculpteur François Cacheux, natif d'Angers. Elle représente une femme nue, à genoux, sexe offert, seins bondissants, bras croisés derrière son ample chevelure, visage pudiquement tourné sur le côté : ode à la féminité.

Nous nous sommes assis sur un banc, il a pris ma main dans la sienne et il a attendu.

Je me suis jetée à l'eau.

– Yuan, j'ai une question à vous poser. Promettez-moi d'y répondre en toute franchise.

– Line, vous ai-je jamais menti ?

– Si vous vous intéressez à moi, si vous vous montrez attentif, est-ce parce que je suis vieille ?

C'était dit. J'ai senti les larmes affluer à mes paupières. J'ai senti ses lèvres se poser sur les miennes, sa langue les a ouvertes. J'ai senti la brûlure d'un vrai baiser, sa pénétrante douceur et, bien que le souffle me manquât, j'ai respiré à nouveau.

Plus tard, la nuit approchait à pas de loup – chien-loup ? –, je lui ai tout raconté : le fauteuil roulant, la rampe d'accès à la maison, le monte-escalier électrique, la baignoire à porte et sa sonnette d'alarme. Et aussi le noir complot fomenté par Priscille Blondeau et Mme Flanchet : massacrer mon jardin et ma maison, Yuan, c'est trop, accepterez-vous de m'aider ?

Son rire m'a répondu. Ni celui, éclatant, de ma fille, ni celui, d'enterrement, de mon fils : un rire tendre et rassurant avec, à y bien écouter, un accent martial.

Tout d'abord – et c'était un ordre – plus de « vous » entre nous, « tu » de rigueur. Ensuite, oui, il m'aiderait à me débarrasser de celle qui m'avait déclaré la guerre.

Ce ne serait pas une opération facile, le bail de l'adversaire ayant été, comme celui de Claudette et le sien, signé pour un an. Nous devrions trouver la faille qui l'obligerait à quitter les lieux d'elle-même avant la fin de l'échéance. Quant à la loi dont elle se prévalait, bien connue pour avoir anéanti l'immobilier, il connaissait quelqu'un à la mairie et me promettait de faire en sorte que le projet scélérat tombe aux oubliettes.

Et, pour le remercier, de moi-même, je suis venue à ses lèvres.

Puis nous avons élaboré un plan d'attaque.

Prévoyant des soucis à venir, Yuan s'était penché sur plusieurs cas d'orthorexie afin d'étudier de plus près les causes de la maladie. Ainsi avait-il découvert que, dans leur grande majorité, ses victimes cherchaient, par leur régime alimentaire infernal, à se racheter d'une faute réelle ou supposée, ce régime étant à la fois leur punition et une demande d'absolution.

Et c'est là que la chose pouvait nous intéresser. En trouvant la faute originelle de Priscille, son point faible, le défaut de sa cuirasse, nous nous donnerions les moyens d'agir, jouant avec sa culpabilité, nous engouffrant dans la faille encore et encore (supplice chinois ?), tant et si bien que, de guerre lasse, elle finirait par abandonner le terrain.

Pour commencer, il m'a proposé de nous renseigner discrètement sur son passé. D'où venait-elle ? Qu'avait-elle vécu avant de s'installer à L'Escale ?

– En as-tu une idée ?

Aucune, ai-je avoué piteusement. Sinon que Priscille avait hérité de ses parents, morts accidentellement, quand elle était jeune. Pour elle, comme pour Claudette et lui, je m'étais contentée de ce que m'avait dit ma fille : tous trois cherchaient un jardin. Alors que, bien sûr, j'aurais dû creuser davantage comme m'y engageait une amie : tête de linotte.

— Si tu arrêtais de te dévaloriser, m'a reproché tendrement Yuan.

Je m'étais simplement montrée discrète. C'était à mes partenaires de me révéler, s'ils le souhaitaient, leur passé. Et, avec solennité, il m'a promis que très bientôt je n'ignorerai plus rien du sien.

Il s'est trouvé qu'alors que nos lèvres se joignaient pour la troisième fois, le gardien du jardin des Plantes, faisant sa ronde afin d'avertir les traînards que les grilles allaient fermer, a surgi devant nous. Son regard, passant de la fameuse statue au couple que nous formions, certes un peu égrillard, mais aussi exigeant, voire impératif, nous indiquait clairement le droit chemin à suivre. Notre témoin ?

Confirmé par Yuan qui, durant le trajet de retour à L'Escale, m'a proposé, si la longueur du voyage ne m'effrayait pas, de m'emmener à Shanghai, sa ville natale, dès que notre affaire serait réglée, pour me présenter à ses parents. Et mon bonheur eût été parfait si je n'avais su qu'avant d'accepter il me faudrait accomplir un parcours autrement périlleux en lui montrant une nudité moins parfaite que celle de la *La Matinée*.

37

Trouver la faille de l'adversaire, se glisser dans son passé, infiltrer ses pensées, percer ses sentiments, jusqu'à découvrir la faute originelle pour mieux le terrasser... Comment aurais-je pu imaginer que mon apprentissage de psychotraqueuse auprès de Paul me servirait un jour contre celle qui avait tenté de nous séparer ? Quand bien même elle avait fait amende honorable et promis de renoncer à son noir dessein. Renoncer ? Ah ah ! résolue à ne jamais pousser mon fauteuil roulant sous ses branches, ouais !

J'ai décidé de ne plus l'appeler « la Clochette », trop doux. Pourquoi pas le serpent à sonnette, communément appelé « crotale », comme le missile sol-air français à courte portée ?

Bref, ce vendredi après-midi, le crotale parti sur son vélo répandre son venin dans les écoles de la République, j'ai envoyé un SOS à Maxence. J'avais un problème, pouvait-il venir de toute urgence ?

Vingt minutes plus tard, il débarquait sur sa moto. C'est bon d'avoir de vrais amis.

– Line, que vous arrive-t-il ?

J'ai désigné la maison.

– Est-ce que tu tiens à L'Escale ?

– Cette question ! N'est-ce pas moi qui l'ai remise en état ?

N'exagérons pas. J'y étais, moi aussi, pour quelque chose.

– Me juges-tu HS ?

Il a éclaté de rire.

– Vous ? Mais vous nous enterrerez tous !

Bon, d'accord. En attendant, je lui ai dévoilé l'intention du serpent à sonnette de détruire jardin et maison pour en faire un lieu accessible aux handicapés (moi).

– La vache, on peut dire qu'elle voit loin, s'est-il exclamé avec son franc-parler. Qu'attendez-vous de moi ?

J'ai désigné l'une des boîtes aux lettres.

– Tu me la crochètes.

Ni une ni deux, il a sorti de sa sacoche un poinçon-tournevis et en trois coups de cuiller à pot c'était fait. Rien ! Courrier déjà enlevé. Comme quoi, quand on n'a pas la conscience tranquille !

Je lui ai demandé de me montrer la façon de procéder afin de pouvoir me passer de ses services. Et là, il me faut avouer qu'il nous a fallu bien davantage de cuillerées pour y parvenir. Moins bricoleuse que moi… On ne peut être à la fois agile de la cervelle et de ses mains. D'autant que durant la leçon, j'ai dû garder un œil sur le chemin en cas de grève-surprise de l'Éducation nationale ou de retour inopiné du crotale.

Généreusement, Max m'a fait don de son instrument.

Voulait-il se rafraîchir à la maison ?

– Avec plaisir.

Alors que nous passions près du bûcher, orphelin de la
4 × 4, il a demandé avec précaution :

– Pas trop de regrets, Line ?

Couler une bielle oblige à changer le moteur de sa voiture. Encore faut-il qu'elle en vaille la peine. Personne
n'en voulant autour de moi, je l'avais laissée au garage.
Des regrets ? Même avec le plus indulgent des moniteurs,
être obligée, pour être à la hauteur d'un volant, de rajouter
deux coussins sur le siège du conducteur me rappelait trop
de souvenirs humiliants. La ribambelle des « trop petite »,
« trop fragile », bref « trop cruche » de son défunt propriétaire. Pour être tout à fait sincère, si j'avais tenu à ce
que Maxence m'en apprenne le maniement, c'était pour
qu'Augustin se retourne dans sa tombe en m'y voyant. Eh
oui, la « cruche » avait dompté son cher tank ! Elle était
même allée parader du côté de sa caserne. Basta, à la casse,
vieille carcasse ! Et n'avais-je pas désormais à ma disposition
une Karma hybride DEUX moteurs ? Ah ah !

– Ne seriez-vous pas un peu machiavélique ? s'est amusé
Maxence après avoir entendu mes explications.

– Ne me flatte pas.

Un peu plus tard, tout en sirotant son Coca, il m'a
proposé de crocheter également la porte de la chambre de
la « fêlée » (*sic*).

Non, merci, j'en sortais. Un autre jour peut-être. À propos, pourrait-il éviter de raconter à Colomba les nouveaux
événements ? Pour être efficaces, il allait nous falloir agir
dans l'ombre. Et l'ombre et ma fille... Il a promis.

Tout en le raccompagnant au portail, je lui ai demandé de me rappeler son âge. Il venait de fêter ses 26 ans (Colomba, 36). Yuan en avait 46 (moi, 55). Faites vos calculs. Je ne sais pourquoi cela m'a mise de bonne humeur.

Trois jours plus tard, la lettre est tombée dans la boîte du crotale.

38

Samedi 9 mai.

Ma chère petite fille,

Si tu savais combien je suis heureuse de savoir que tu as enfin trouvé « ta » maison. Il n'est de jour que je ne m'en réjouisse. Vois-tu, j'étais certaine que quitter cette ville où tu as de si lourds souvenirs t'aiderait à entamer une nouvelle vie. Apparemment, c'est chose faite. Continue à me donner de tes nouvelles et surtout, surtout, sois certaine que ta pauvre maman ne t'en voudrait pas d'avoir trouvé, à ton Escale, une mère d'adoption. Au contraire.

Mille affectueux baisers.

Ta tante qui t'aime.

Marthe

La lettre était adressée à mademoiselle Priscille Blondeau. Au dos, le nom et l'adresse de l'expéditrice : Mme Marthe Blondeau, boulevard Victor-Hugo, à Nice.

J'ai refermé soigneusement l'enveloppe ouverte à la vapeur ainsi que celle de la banque où j'avais trouvé un relevé mensuel de la cliente, indiquant qu'elle pouvait sans souci prendre à sa charge les travaux loi Alur et je les ai reglissées dans la boîte avant son retour du marché – jour sacré « Fée Pollen » : le ciel avec moi ?

Marthe n'étant pas sur liste rouge – elle, rien à cacher ? – il ne m'a pas été difficile de trouver son numéro de téléphone dans l'annuaire. Entre-temps, la destinataire était revenue du marché et, bien que les doigts me brûlent, j'ai patienté jusqu'à l'heure du déjeuner – le crotale occupé à préparer le sien – pour appeler sa tante à l'abri de mon caveau. Elle a répondu immédiatement.

Son « allô » était doux, désuet, un peu las. Je me suis présentée : une ex-institutrice de l'école où étudiait autrefois sa nièce, Priscille, une élève si attachante ! De passage à Nice le lendemain, je souhaitais lui rendre visite pour avoir de ses nouvelles. Je ne la dérangerais pas longtemps. Et, tout en prononçant, d'une voix dansante, ces mots soigneusement préparés, je me suis demandé si, à la réflexion, pour Machiavel et moi, Maxence n'avait pas visé juste.

Sans hésiter, tante Marthe a répondu qu'elle me recevrait volontiers. Cependant, je ne devais pas espérer rencontrer sa nièce, installée depuis peu à Angers, une ville, paraissait-il, sympathique et accueillante. À quelle heure avais-je l'intention de venir chez elle ? J'ai proposé 14 h 30. Cela lui convenait. Avais-je bien son adresse ? Si elle n'en avait pas changé : boulevard Victor-Hugo. Elle n'en avait pas changé. Pouvais-je lui rappeler mon nom, depuis le temps... Tout naturellement, j'ai répondu France le Gallois. France, mon second prénom, celui de ma tendre mère. Le Gallois, mon cher papa.

Grâce à Thomas, je savais comment joindre « Angers-Loire aéroport ». Depuis peu, une compagnie low cost permettait de rejoindre sans escale toutes sortes de destinations, dont « Nice-Côte d'Azur ». Après un éprouvant maniement de numéros sur mon portable, ponctués de touches dièse ou d'étoiles, une femme, apparemment mal lunée, a daigné me répondre. Pas le choix, un seul aller et retour dans la journée pour la direction indiquée : départ 10 h 18, retour 18 h 40, bagages en supplément, consommations payantes, libre accès aux toilettes.

J'ai remercié pour les toilettes. Les horaires me convenaient et je voyagerais sans bagages. Décidément, le ciel m'avait à la bonne, son auxiliaire mal lunée ou non.

L'opération suivante, réservation de mes billets par internet, a été un jeu d'enfant. Pas si cruche, la « cruche » !

À défaut de 4 × 4, me restait à commander un taxi. 9 h 30 m'a paru le bon choix : missile au lit, Claudette et Yuan en route pour le boulot.

Affaire réglée.

Puis j'ai réfléchi.

Devais-je annoncer à Yuan mon absence demain toute la journée ? Pour cela, il me faudrait lui avouer le crochetage de la boîte aux lettres du serpent. Et même si c'était lui qui m'avait poussée à l'indélicatesse avec son plan « fouille du passé », cela me gênait un peu. Et imaginons qu'il juge ma démarche prématurée ? J'ai parfois tendance à m'emballer. Pire, s'il demandait à m'accompagner ? Là, échec assuré de la mission, aucune chance que tante Marthe accepte de se confier face à un visage, certes sympathique, mais étranger.

Est-il de couple sans petits secrets ? Je me suis promis de tout lui raconter à mon retour.

Il était environ 6 heures du soir, je me reposais d'une journée ô combien fertile en faisant semblant de lire sur le canapé du salon, lorsque Priscille Blondeau s'est approchée de moi. Transmission de pensée ?

— As-tu réfléchi à notre petite conversation ? a-t-elle demandé.

— Je ne fais que ça, ai-je répondu, sincère.

— Et tu as progressé ?

— Considérablement.

Avec un sourire indulgent, elle m'a menacée du doigt, comme on fait avec une vieille mère lente à la détente.

— C'est que le temps presse, il ne faudrait pas trop tarder.

— J'en suis pleinement consciente.

— Merci, Line, a-t-elle conclu en s'éloignant.

N'étant pas la perfide Alma, je ne lui ai pas répondu : « Il n'y a pas de quoi. »

39

« Ma Linette, ma jolie petite fille tendre et têtue », me disait papa en écartant ma frange et me regardant loin dans les yeux. Et j'entendais dans sa voix une promesse que je ne savais pas encore nommer mais qui me donnait des ailes.

« Allez, envole-toi ! » m'avait-il lancé après avoir retiré les petites roues de mon vélo. Et je m'étais envolée.

Ces petites roues que j'avais remises à ma vie durant tant d'années perdues.

« Rien ne se perd, rien ne se crée, tout nous transforme et nous conduit à devenir celui ou celle que nous sommes », m'a soufflé Yuan à l'oreille, reprenant à son compte la si juste sentence d'Antoine Laurent de Lavoisier.

Ce mardi matin, le front collé au hublot de l'avion qui me menait à Nice, tandis que, passé l'épais coton de nuages, nous nous élancions dans l'inépuisable bleu du ciel, j'ai entendu la voix de mon père : « Va ! » Et je lui ai promis, quoi qu'il arrive, de ne plus jamais laisser quiconque replier mes ailes.

« Bravo, championne ! » a-t-il répondu.

*

L'Atlantique, notre mer à nous, descend si bas qu'il arrive qu'on le perde de vue. La Méditerranée se contentait d'une petite révérence. À Belle-Île, nos plages sont de sable fin et clair. Celles de la baie des Anges étaient de galets. Mais l'air fleurait bon le palmier le long de la Promenade des Anglais (encore !), les terrasses des restaurants débordaient, et, aux fenêtres des ruelles, du linge flottait comme les oriflammes du beau temps.

Après avoir dégusté une salade composée, je me suis acheminée vers le boulevard Victor-Hugo et, à 14 h 30 précises, je sonnais à la porte de Mme Marthe Blondeau, au second étage d'un immeuble Belle Époque.

– France le Gallois ?

Tout émue, j'ai acquiescé.

– Venez !

Je l'ai suivie dans le salon. Quel pouvait être son âge ? J'avais calculé que nous devions avoir à peu près le même, mais ses cheveux étaient uniformément gris, son visage abandonné aux ravages du temps et elle était vêtue comme une vieille dame.

– Prenez place, s'il vous plaît.

Elle m'a désigné un fauteuil devant une table basse où, sur un plateau d'argent, se trouvaient deux tasses de porcelaine ainsi qu'une coupelle de mini-palmiers et gaufrettes.

– Du thé ? Du café ?

– Volontiers un café.

Elle a quitté la pièce. Sur une console toute proche il y avait un pêle-mêle de photos. Je me suis levée pour les admirer. Presque toutes représentaient une petite fille aux yeux clairs et aux boucles blondes, aisément reconnaissable. En jolie robe « comtesse de Ségur », elle posait seule ou en compagnie d'un couple souriant. Ses parents ? On la voyait également avec une femme plus âgée au visage tendre : tante Marthe ?

Celle-ci est revenue avec une cafetière qu'elle a posée sur le plateau avant de me rejoindre. J'ai montré une photo.

– Il me semble reconnaître Priscille, je me trompe ?

– Pas du tout. Prissy à 7 ans. Sans doute à l'âge où vous l'avez eue pour élève, en primaire. Est-ce bien cela ?

– C'est cela. Une élève très attachante qui, s'il m'en souvient, était douée pour le dessin.

– Vous vous souvenez bien. Elle en a fait son métier. Et sa passion.

Je suis revenue à mon fauteuil, elle s'est assise en face de moi et elle a versé le café dans nos tasses. J'ai noté qu'elle ne portait pas d'alliance

– Un peu de lait ? Du sucre ?

J'ai accepté un carré de sucre.

– Un biscuit ? Prissy avait un faible pour les palmiers.

Prissy, Prissy… n'aurait-on pas dit qu'elle me tendait la perche ? Oui pour un palmier luisant et bien grillé sur les bords.

– J'ai ouï dire que la pauvre petite avait perdu acciden-tellement ses parents ? me suis-je lancée avec précaution. À l'époque, j'avais quitté Nice : une mutation. Je n'ai jamais su exactement ce qui s'était passé…

Le regard de tante Marthe s'est assombri. Il m'a semblé qu'elle hésitait.

– Si c'est trop dur pour vous de me répondre, tant pis, je comprendrai. J'ai moi-même une certaine difficulté à évoquer mon père, trop tôt disparu.

Ces mots étaient venus sans calcul, spontanément, à la suite du petit coucou de papa dans l'avion. Sans doute est-ce cette confidence qui a décidé Marthe à parler. Elle m'a fixée de ses yeux gris passé, infiniment tristes, cherchant un appui ? Soudain, j'ai eu honte d'être venue la piéger.

– Un terrible accident, une horreur ! a-t-elle commencé.

Priscille a 8 ans. Cet après-midi, sa mère, Madeleine, la jeune sœur de Marthe, a cuisiné un ragoût de mouton aux épices pour régaler Gérard, son mari. C'est un couple heureux, uni, sans histoire. Très vite après le repas tous deux sont pris de nausées, suivies de violents vomissements. Épouvantée, la petite court appeler les voisins à l'aide. Lorsqu'ils arrivent, c'est pour les voir mourir dans d'atroces convulsions.

Ma tasse a tinté sur la soucoupe, ma tête tournait, je tremblais toute.

– Morts ? ai-je répété tout bas.

– Empoisonnement à la belladone, a confirmé Marthe. Une plante hautement toxique : quelques baies suffisent à vous emporter. L'autopsie, ainsi que l'analyse du ragoût n'ont laissé aucun doute. Ma sœur et son mari en avaient absorbé en grande quantité. Prissy, qui n'aimait pas le ragoût et n'y avait pas touché, a sans le savoir sauvé sa vie.

Mon regard est revenu sur les photos, la jolie petite fille en robe comtesse de Ségur, souriant entre un papa et une maman que, quelques mois plus tard, elle verrait, impuissante, mourir sous ses yeux. J'ai eu un geste vers mon sac : partir, dégager, fuir.

– Au fond de leur jardin, a repris Marthe sans deviner ma panique, il y avait en effet un massif de cette plante. Belladone… les gens ne retiennent que le joli nom, la fleur pourpre en forme de clochette, ignorant que sa baie, appelée autrefois « cerise du diable », peut se révéler fatale par l'atropine qu'elle contient. Ni mon beau-frère, grand industriel, très pris par son travail, ni Maddy qui le secondait, n'avaient le temps de jardiner et ils ignoraient tout des plantes.

Et Maddy ajoute dans son ragoût aux épices une poignée de « cerises du diable »…

J'ai bredouillé.

– Et vous avez recueilli Priscille…

Prissy.

– Elle n'avait pas d'autre famille. Je n'étais pas mariée. Vous avouerai-je que cela n'a pas été facile ? Même avec tout l'amour du monde, il est des blessures inguérissables. Je me sentais si impuissante ! Durant des semaines, elle s'est murée dans le silence, pas un mot ! Et aussi, elle se cachait comme si la mort la poursuivait. Bien sûr, je l'avais retirée de l'école, même si la presse se montrait remarquablement discrète et que les réseaux sociaux étaient moins redoutables qu'aujourd'hui. J'ai fait appel à plusieurs médecins. En vain. Jusqu'au jour où…

Brusquement, tante Marthe s'est interrompue, la main sur ses lèvres, comme si elle était allée trop loin. J'ai voulu me lever, elle s'est saisie de mes mains.

– Oh non, France, je vous en prie, restez ! Voyez-vous, il est des secrets parfois trop difficiles à garder. Pouvez-vous me promettre de ne répéter à personne celui que je vais vous confier ?

– Je ne cache rien à mon compagnon, ai-je bredouillé en une ultime tentative pour me dérober.

– S'il est votre compagnon, c'est que je peux lui faire confiance.

Les yeux de la pauvre femme ont débordé de larmes.

– Jusqu'au jour où Prissy m'a avoué que c'était elle qui, pour faire joli, avait mis dans le ragoût les baies empoisonnées.

40

Trouver le point faible de l'adversaire, le défaut de la cuirasse, sa faute originelle. Se glisser dans la faille de sa culpabilité et appuyer jusqu'à ce que, de guerre lasse, il finisse par abandonner de lui-même le terrain.

Bravo, championne, salut, l'artiste, le fin stratège, machiavélique à souhait ! Au théâtre de la guerre, comme on dit, j'avais parfaitement tenu mon rôle. Ne me restait plus, pour finir le travail, qu'à tourner et retourner le fer dans la plaie inguérissable de Priscille Blondeau. Jusqu'à ce que mort s'ensuive ?

Je me dégoûtais.

– Ça va, madame ? m'a demandé mon voisin de vol Nice-Angers, apitoyé par mes larmes.

Très bien, monsieur. À part quelques soucis du côté du dictionnaire. Voyez « clochette » par exemple. Quel rapport entre « Fée Clochette », bienfaitrice des jardins, et clochette tueuse de la belladone ? Prenez « cerise », fruit délicieux que les petites filles modèles portent en boucles d'oreilles, mais également « cerises du diable ». Troublant, vous ne trouvez pas ? Ajoutez-y tout plein de jolis dessins ludiques – apprendre en s'amusant – autour des plantes et autres légumes afin que jamais, plus jamais, au grand jamais, des enfants ne commettent d'erreur entraînant la mort d'un proche, pourquoi pas celle de leurs parents. Passez le tout au mixeur, dégustez chaud, appréciez le résultat : un gouleyant secret de famille arraché par une salope (pardon) au témoin capital, Marthe de son prénom, en abusant de sa confiance. Vous accepterez bien un palmier ?

Merci monsieur pour le mouchoir, il n'était pas prévu dans le plan et ils n'en fournissent pas dans les compagnies low cost.

*

Il était plus de 9 heures du soir lorsque le taxi m'a déposée au portail de L'Escale. Une ombre s'est hâtée vers moi : Yuan.

– Line, enfin ! Je m'inquiétais. Où étais-tu ?

C'était allumé dans le living et dans la chambre numéro 1. Sans répondre, je l'ai entraîné vers la porte dérobée, tant pis ! Il n'a même pas été étonné. À force de me voir patrouiller derrière le pyracantha, il avait flairé son existence. En revanche, son sursaut en découvrant ma chambre ne m'a pas échappé : mauvaise orientation ? Ondes néfastes ?

À défaut d'autre choix, nous nous sommes assis sur le futon. J'ai sorti de sous mon oreiller la lettre volée à Priscille. Yuan l'a lue et il a compris où j'avais passé ma journée.

Sans reproche, très doucement, il a demandé :

– Alors, ma Line ?

« Alors », en tête du dictionnaire, mot marquant l'interrogation, l'intérêt porté à autrui, l'un des plus beaux que
l'on puisse vous offrir.

… Alors, je lui ai raconté mon plan-fouille du passé pour
obtenir de tante Marthe un élément, un détail, une piste,
qui nous permettraient de virer Priscille. Notre rencontre,
le café, les biscuits et, pour finir, la surprise du chef, une
surprise tellement énorme, inespérée, qu'au moment de la
lui révéler les larmes m'en ont empêchée.

Il s'est levé et, tandis qu'il remplissait un verre au robinet
du lavabo, revoyant une bombonne d'eau pure et toutes ces
boîtes, ces flacons, ces mixtures, ces tentatives désespérées
de Prissy pour se punir, se racheter, expier, survivre, mes
sanglots ont redoublé.

Yuan m'a fait boire comme une enfant, il a éponge mes
larmes, il m'a serrée contre lui. Une éternité plus tard, les
mots ont accepté de passer.

Je lui ai raconté une petite fille modèle entre ses parents,
un couple heureux et sans histoire. Priscille-Prissy, tôt
douée pour le dessin, fan de crayons de couleur. Et puis
un jour, pour faire joli, elle rajoute dans le ragoût cuisiné
par sa mère une poignée de baies pourpres de belladone,
baies tueuses contenant de l'atropine, et papa et maman
meurent sous ses yeux en se tordant de douleur, voilà, c'est
tout. Exit la petite fille modèle. Yuan, je m'en voudrai
toute ma vie d'avoir été si dure avec elle, d'avoir extorqué
son secret à tante Marthe.

Une autre éternité plus tard, toutes les larmes de mon
corps versées sur l'épaule de Yuan qui, comprenant que
j'aurais été incapable d'accepter la moindre caresse, le plus

petit baiser, s'était contenté de me bercer en silence, il a parlé.

Je n'avais pas à me reprocher la confidence de tante Marthe, j'avais tout fait pour l'éviter. Je n'avais pas à me détester pour mon attitude passée envers Priscille puisque j'ignorais la cause de son mal.

C'était lui qui aurait pu, aurait dû, se douter qu'à la racine de celui-ci se trouvait un dramatique secret. Il avait en effet très vite diagnostiqué chez elle de lourdes pertes de mémoire – mécanisme de défense contre des souvenirs insupportables –, maladie appelée « amnésie ». Priscille passant de la morosité à des rires inexplicables, du refus catégorique d'un aliment ou d'une boisson à leur acceptation enthousiaste « pour partager la fête ». Ce que nous appelions trop légèrement ses « sautes d'humeur ».

– Et que tu attribuais volontiers aux bienfaits de l'alcool, m'a-t-il rappelé avec malice.

Et, pensant au « vin tranquille », un sourire – mécanisme de défense ? – m'a échappé.

– Es-tu prête à passer au concret ? m'a demandé Yuan.

Oh non ! Pas encore ! Pas avant de lui avoir avoué le plus difficile, la promesse faite à mon père dans l'avion de ne plus jamais laisser personne replier mes ailes, comme si j'avais senti ce qui m'attendait à Nice. Une promesse qu'il me faudrait tenir puisqu'en toute innocence Priscille avait décidé de me les couper pour me garder auprès d'elle jusqu'à mon dernier soupir. Bref, alors qu'au courant de son drame j'aurais dû tout faire pour atténuer sa peine, l'entourer, remplacer autant que faire se peut sa mère, j'allais l'achever en la boutant dehors. Yuan, la vérité, ai-je un cœur ?

Un cœur se forme dès notre petite enfance avec le regard de nos parents, m'a rappelé le psy. Regard plus ou moins aimant, parents plus ou moins présents, compréhensifs ou indifférents, voire violents. Ainsi, certains enfants, convenablement entourés, rassurés, encouragés, pourront se forger harmonieusement le leur tandis que d'autres, moins bien traités, développeront un cœur frileux, si ce n'est brisé.

Mes parents avaient permis au mien de s'épanouir, par là de s'ouvrir aux autres. À ce qu'il avait compris, un mariage malencontreux m'en avait fait, durant de longues années, réprimer les battements, mais jamais je n'en avais manqué. Il était bien placé pour le savoir, le sien battant à l'unisson du mien.

Et je ne « bouterais » pas Priscille dehors, je saurais trouver le moyen de me séparer d'elle en douceur et sans qu'elle se doute un seul instant que je connaissais son secret, il m'y aiderait. Nous prendrions notre temps : ce n'est jamais dans la hâte que l'on trouve une solution à un problème. Un jour, il en était convaincu, elle s'imposerait d'elle-même.

Quant à lui, il se fixait un autre but : me permettre, le plus rapidement possible, de quitter cette chambre et de le rejoindre dans celle que j'avais eu la générosité de lui laisser.

41

Il m'a semblé n'avoir pas fermé l'œil de la nuit, même si l'expression est inexacte. Il paraît qu'on dort toujours un peu, comme on sombre entre deux assauts de l'angoisse mais que submergé, noyé, on ne s'en souvient plus.

Quand j'ai émergé, il était près de 8 heures. Yuan m'avait quittée vers minuit, me laissant un feu de détresse allumé dans le cabinet de toilette. Viendrait-il voir où en était la naufragée avant de partir travailler ? Encore trop perdue dans la brume, je n'étais pas sûre de le souhaiter.

Je me suis étendue bien à plat sur le futon-radeau et, les yeux mi-clos, concentrée sur mon corps, j'ai respiré lentement, longuement, ainsi qu'il me l'avait enseigné, en remontant de la pulpe de mes orteils jusqu'au sommet de mon crâne et, peu à peu, le brouillard s'est dissipé.

Tante Marthe s'est présentée la première, l'air soucieux. Je lui ai juré de tenir ma promesse de ne jamais révéler mon secret à quiconque autre que mon compagnon. Mon père a suivi, que j'ai simplement remercié, en évitant de me redire de quoi. Enfin, Priscille à qui j'ai demandé pardon.

Pardon pour tout le mal que je t'ai fait, pardon pour tout le mal que je te ferai. Comme dans une chanson dont le nom m'échappait.

Puis, pour ne pas céder à nouveau aux larmes, je me suis levée.

Tandis que je me douchais, un souvenir m'est revenu que, par pudeur, j'avais caché à Yuan. La colère de Priscille contre les adversaires du poil alors que je prenais mon bain-grand-tralala. Priscille tricophile ? Mais bien sûr ! Mes polars ne me l'avaient-ils pas appris ? Le poil permet de détecter des traces de poison dans l'organisme et ainsi de soigner, voire sauver le malade. Je me suis promis d'en parler à Yuan. Ne m'étais-je pas engagée à ne plus rien lui cacher ?

Le moment venu de m'habiller, retrouvant mes vêtements de la veille sur le tabouret, cette fois c'est la promesse de ne plus jamais les porter – bien qu'ils soient parmi mes meilleurs – que je me suis faite. Et je les ai enfouis au fond de ma malle. Les malheurs sont propices aux serments, comme on croise les doigts pour conjurer le sort.

Et maintenant ?

« Prendre notre temps et un jour la solution s'imposera d'elle-même », avait assuré Yuan. Comme pour ces mots qui vous échappent quand vous les cherchez trop et qui réapparaissent, évidents, lorsque vous n'y pensez plus ?

8 h 45. J'ai consulté le ciel par la porte dérobée : bleu-bleu, sans nuages, décidément ! La Karma n'était plus là, la voiture-ferraille de Claudette, si. Montant du coin-cuisine, il m'a semblé flairer une bonne odeur de café et de tartines grillées : Claudette, la gourmette. Voilà que je faisais des

vers. Attention ! Elle ne devrait jamais soupçonner ce que Priscille expiait en se nourrissant si détestablement : la détestation d'elle-même.

J'ai attendu qu'elle soit partie pour quitter ma chambre.

Alors que je faisais chauffer de l'eau dans la cuisine, le téléphone fixe a sonné près du canapé. J'ai foncé de peur qu'il ne réveille Priscille. Colomba ? Maxence ? Thomas ? Sentant que j'avais besoin d'entendre leur voix ?

Alma. Ou l'art de bien tomber...

Elle avait un gros, gros souci. Peux-tu venir en parler d'urgence avec moi ? Line, je t'en prie !

Alma, un souci ? Hier encore, dans une autre vie, j'aurais ricané. Une boucle de travers ? Une manucure ratée ? Un talon aiguille cassé ? Forte de la belle leçon de Yuan, j'ai tenu à lui montrer que j'avais un cœur. Bien sûr, elle pouvait compter sur moi, c'est comme si j'étais là. Quelle heure lui convenait ? 14 h 30 ? Très bien ! Chez elle ! Parfait ! « Oh, merci, merci, Line ! – De rien. » (Même si cela ne se disait pas dans son monde.)

J'ai bu mon thé devant la baie ouverte sur le jardin. L'air était déjà doux, mai, tout près. Et si j'en profitais pour faire un tour à vélo ? Allez, Line, un peu de courage. Tôt ou tard, tu seras bien obligée de te retrouver face à Priscille-Prissy.

Sans surprise, elle est apparue à 10 heures.

Elle est venue vers moi qui rangeotais ici et là. Robe de chambre, chaussons, cheveux dans les yeux, un matin comme un autre, qu'avais-je été imaginer ? Une robe à smocks, des sandales à brides, des boucles bien rangées ? J'ai tendu ma joue. Un peu étonnée, elle y a enfoncé ses lèvres.

— On ne t'a pas vue, hier. Yuan t'a réclamée, t'étais où ?
a-t-elle demandé.

— Dans ma chambre : une migraine, j'ai éteint très vite.
Chambre fermée à clé : impossible à vérifier.

— Oh, ma pauvre ! Et ça va mieux ?

— Pas encore la grande forme mais ça s'améliore.

Rassurée, elle est passée côté cuisine. Je me suis installée sur le canapé et j'ai fait semblant d'écouter la radio
tandis qu'elle préparait son petit déjeuner-grignotage : lait
bio, tartinette de pain noir, improbable confiture, jus de
légumes et ces baies de goji dont une légende prétend
qu'elles sont gages d'immortalité. Et, la voyant mâcher et
remâcher chaque bouchée, tourner et retourner chaque gorgée dans sa bouche comme s'il en allait de sa vie, j'avais
du mal à avaler ma salive.

— Figure toi qu'hier j'ai eu une bonne nouvelle ! m'annonce-
t-elle un peu plus tard en revenant, toute guillerette, vers
moi.

— Ah bon ?

Elle s'assoit à mes côtés et elle me raconte que son éditeur
niçois (!) l'a appelée pour la féliciter de son nouvel album
dont elle lui a envoyé quelques pages. Emballé ! J'apprends
par la même occasion qu'il n'est pas si fréquent qu'un auteur
assume à la fois textes et illustrations, son cas. Elle ajoute qu'à
son grand bonheur, d'album en album, son public s'élargit.

— Mais c'est dû à ton seul talent ! m'écrié-je. Tu le
mérites amplement Pris…

Horreur, un « Prissy » a failli m'échapper. Il me faudra mieux surveiller mon langage. Tout heureuse de mon

enthousiasme, Priscille m'annonce une autre bonne nouvelle : cet après-midi, elle intervient pour la première fois dans une maison de retraite. Eh oui, il n'y a pas que les enfants qui s'intéressent au coloriage et au contenu de leur assiette. Si elle a accepté, c'est grâce à moi, me confie-t-elle. Pour apporter un peu de soleil à des personnes en fauteuil roulant, contraintes de vivre loin de chez elles, ce qui, comme je le sais, grâce à elle et à Mme Flanchet, ne m'arrivera jamais.

En attendant, il est presque midi, accepterais-je de partager une salade avec elle pour le déjeuner ?

Non, merci, je me sens un peu barbouillée.

Plus tard, allant chercher le courrier, j'ai trouvé une enveloppe dans ma boîte. Elle contenait une carte sur laquelle un nom était écrit en lettres majuscules : SHANGHAI. Et, me souvenant de la promesse de Yuan de partager un jour avec lui la lumière d'une même chambre, j'ai respiré à nouveau.

42

– Mon Dieu, quelle petite mine tu as, tu t'es vue ? Qu'est-ce qui t'est arrivé ? s'exclame Alma en vous ouvrant sa porte blindée cinq points – coupe-feu – entrebâilleur intégré. Toi aussi, un souci ?

Vous ne déniez pas pour ne pas la décevoir, d'autant que son look à elle... Une boucle de travers ? aviez-vous imaginé méchamment. C'est toute la montgolfière qui est par terre. Une manucure ratée ? Ongles rongés. Un talon cassé ? En baskets, votre élégante amie. Sans parler du contour des yeux, en lourdes valoches.

Elle vous entraîne sur sa terrasse où elle aime à donner des dîners éclairés par des photophores. Sur la longue table de bois, un plateau est préparé : deux tasses et une cafetière qui se battent en duel, arbitrées par une bonbonnière de sucrettes. Elle tombe sur sa chaise, empoigne la cafetière, se sert, vous oublie. Faut-il qu'elle soit perturbée pour déroger ainsi aux bonnes manières. Vous prenez place près d'elle.

– Tu te souviens de Marine ? attaque-t-elle.

— Et comment ! Ta charmante jeune fille au pair (jour du déjeuner catastrophe la veille de Pâques).

— Charmante ? rugit-elle en frappant sur la table, déclenchant une petite averse de pollen. Tellement charmante qu'elle me plante là sans préavis : au revoir, madame, débrouillez-vous — et je suis polie. Quand je pense que je la considérais comme faisant partie de la famille !

— Mais qu'est-ce qui s'est passé ? Pourquoi elle s'en va ?

— Si je le savais ! Elle se prétend fatiguée, incapable de suivre ses cours, des cours de quoi, je te le demande : de DROIT. Mademoiselle se voit déjà en robe, hermine au cou, pouh ! Mais tu ne bois pas ?

Vous vous servez de café, y ajoutez une sucrette. La demie de 14 heures sonne à un clocher voisin. Soudain, vous revoyez deux tasses de porcelaine fine, une cafetière en argent, une coupelle de gaufrettes et de palmiers luisants, une femme en larmes, un drame, un vrai.

— Et je fais quoi, moi, maintenant ? aboie Alma.

Un peu froidement, vous répondez :

— Tu passes une annonce. La crise aidant, tu trouveras dans l'heure.

— Pour le ménage, la cuisine et la garde des enfants, sans doute. Mais pas pour le principal.

— Le principal ?

Elle désigne d'un geste ample pots, bacs, rocailles, arbres d'ornement, conifères nains. Entre autres…

— L'entretien des terrasses. N'oublie pas qu'elles font le tour de l'appartement.

— Et c'est Marine qui s'en occupe ?

– Qui s'en occupait... La raison pour laquelle je l'avais engagée : parents paysans, fille de la terre.

– Avec l'aide au ménage, à la cuisine, plus les petits, je comprends qu'elle se soit sentie un peu surmenée, ne pouvez-vous vous empêcher d'ironiser. Mais j'ai ta solution : une entreprise spécialisée. Si tu veux, je demande à Colomba de s'en charger.

– Et comment je la paierai ?

Le cri d'Alma vous cloue. Vous vous retenez de répondre : « avec ta carte bancaire ». L'air sombre, elle contemple à présent ses mains, le diamant de ses fiançailles, l'or de son mariage, la chevalière aux armes de sa famille. Comme on récapitule l'ensemble de ses richesses ?

Non ! Comme on fait le bilan de sa vie.

– La « crise aidant », as-tu dit, Line, reprend-elle sourdement. Sache que Baudouin y est jusqu'au cou, que d'un jour à l'autre il peut être viré de son entreprise. Quant à moi, je n'ai pas voulu t'ennuyer avec ça, mais j'ai perdu mon job d'assistante de direction. Les seniors à la casse ! Tu me diras que s'il est licencié, Baudouin aura le temps de s'occuper des terrasses, mais il suffit qu'il regarde une plante pour qu'elle dépérisse.

Pauvre Baudouin ! Même pas la main verte, l'apanage des saints. Vous réprimez un rire. Que vous vous reprochez aussitôt. Votre meilleure amie « à la casse » ? Mme de Grand-Air condamnée à se passer de son Roméo, ses grandes marques, ses soldes cliente privilégiée, rabaissée au rang de Madame Tout-le-Monde ?

– Mais tu ne m'ennuies jamais, Alma ! Et si ça peut te consoler, moi aussi, j'ai mes soucis, lui confiez-vous afin de vous racheter.

Elle lève des yeux reconnaissants.

– Merci, oh merci, tu me raconteras ? Mais avant si tu veux bien, j'ai une confidence à te faire.

Elle aussi ?

« France, je vous en prie, restez », vous a suppliée tante Marthe hier. Vous restez.

– Mes parents, tu t'en souviens ? commence Alma.

Père haut fonctionnaire, sorti de l'ENA. Mère tourbillonnant de mondanité en mondanité. Vous, fille de gendarme, maman en tablier à la maison.

– Et Hannah, tu t'en souviens aussi ?

– Ta super nannie anglaise (encore !) en uniforme.

– Super nannie ? rugit cette fois Alma. Super dragon, oui, à laquelle j'étais abandonnée. Sais-tu que je pleurais la nuit dans mon lit ? Jamais tu ne me croiras, Line, je t'enviais, oui, toi !

Les paroles de Yuan, cette nuit même, vous reviennent : « Un cœur se forme dès la petite enfance avec le regard de nos parents. » Vous, élevée par un père et une mère aimants, présents, confiants : « Envole-toi ! » Alma délaissée, abandonnée à une super nannie-dragon.

– Sur le balcon de ma chambre, reprend-elle d'une voix brouillée, il y avait un *Daphne odora*, une plante au parfum incomparable, dû, selon certains, à la baguette de Merlin l'Enchanteur. Il était devenu mon confident.

Elle se lève :

– Viens, tu comprendras.

Vous la suivez jusqu'à sa chambre. Devant la fenêtre ouverte, le *Daphne odora* épanouit ses fleurs roses et blanches, distillant le parfum indéfinissable du rêve. Elle désigne, à son pied, un petit matériel de jardinage, de gros gants mi-toile mi-cuir.

— C'est moi qui me charge de son entretien. Si j'ai tant voulu cet appartement avec toutes ces terrasses, c'était pour l'honorer. Si je te disais qu'il m'arrive de lui parler la nuit.

43

Ce n'était pas sous le regard de Merlin l'Enchanteur que Yuan Sushima avait grandi mais sous l'égide du Lotus bleu, symbole de la spiritualité, de la capacité de l'être humain à se développer et à embrasser toutes les beautés de la vie, qui régnait à Shanghai, sa ville natale. Et ni Hergé, l'illustre auteur de *Tintin et le lotus bleu*, ni Tchang, jeune héros de l'album, ne l'aurait démenti.

Comme bien des Shanghaiens, le père de Yuan, puissant industriel, était fasciné par la France et son Histoire, la patrie des arts, la terre de la créativité. Ainsi, dès son plus jeune âge, avait-il tenu à ce que son fils en apprenne la langue.

Élève doué, attentif aux autres, c'est l'acupuncture, médecine traditionnelle de son pays, qui avait d'abord attiré le jeune homme. Certains ne disaient-ils pas qu'il avait un « trésor dans les doigts » ? Lorsque, son diplôme en poche, Yuan avait exprimé le désir de poursuivre ses études à Paris, Tao (longue vie), son père, qui avait projeté, comme tant d'autres, son propre rêve sur son bambin, avait applaudi des deux mains tout en lui ouvrant un compte illimité pour lui permettre de le réaliser. Hui (bienvenue, gentillesse), sa mère, qui n'avait jamais eu d'autre ambition que de garder son enfant auprès d'elle, s'était contentée de pleurer en silence.

Sitôt arrivé dans la capitale, Yuan s'était inscrit en psychiatrie (*psukhê*, en grec : « âme » ou « esprit ») à la faculté de médecine, non loin du Quartier latin où il logeait, découvrant les joies de la vie estudiantine : nourritures exotiques, nuits fiévreuses, manifestations diverses contre l'autorité, illustrant l'esprit frondeur de notre pays.

Refusant de se limiter aux maladies mentales ou aux troubles du cerveau humain, Yuan avait ajouté à l'étude de la psychiatrie des cours d'ostéopathie, toute nouvelle discipline qui soignait douleurs dorsales, coliques, constipation, voire perte de cheveux et autres mauvaises manières de notre corps pour exprimer son mal-être.

Ce n'est qu'une fois ses trois diplômes en poche que l'étudiant avait enfin découvert sa voie, celle qui lui permettrait de se mettre au service de son prochain en conjuguant ses nombreuses connaissances : la réflexologie plantaire (harmonie du corps et de l'esprit).

Deux années plus tard, il ouvrait son cabinet.

Là, Yuan s'est interrompu. Il s'est rapproché de moi sur le banc de bois, à l'abri du pyracantha, où il s'était invité ce matin pour tenir la promesse faite devant *La Matinée*, de tout me livrer de son passé.

Et voici qu'un jour une voix lui souffle de quitter la bruyante capitale, de revenir à la nature, au calme, à l'authenticité. Un ami qui travaille à Angers (mot contenant « ange ») lui apprend qu'un poste mi-pratique, mi-enseignement, est à pourvoir à la faculté. Il n'hésite pas, c'est oui. Le lendemain de son arrivée, alors qu'il se met en quête d'une location, une petite annonce sur internet capte son regard : « Voulez-vous partager ma maison ? » Une maison qui s'appelle L'Escale.

Yuan s'est emparé de mes mains.

– La suite, tu la connais. À présent tu sais tout de moi.

Tout ? Vraiment ?

Sur son brillant parcours intellectuel, sans doute. Mais de sa vie perso (osons le mot), que m'avait-il livré ? Rien ! Or, dans son récit, deux phrases m'avaient profondément remuée : « Toutes les beautés de la vie » et « Trésor dans les doigts », me ramenant à une séance d'aromathérapie et à de troublantes touches parfumées à l'huile de jasmin, fragrance, si je m'en souvenais bien, liée au *Kama-sutra*. Séance durant laquelle j'avais levé le voile sur le désastre absolu qu'avait été ma vie sexuelle entre les seuls doigts épais de mon militaire. Ce voile, n'était-il pas temps qu'il le lève lui aussi ? Avait-il été marié ? Pacsé ? Tout simplement amant ? Pourquoi pas père ?

Puis, affolée par mon audace, j'ai enfermé mon visage brûlant dans mes mains.

Il les a écartées avec douceur, m'a ordonné de le regarder, m'a remerciée pour ma franchise. Non, il n'était pas père. N'ayant jamais rencontré celle qui lui en aurait donné l'envie. Bien sûr, il avait connu des femmes. Le contraire n'eût-il pas été inquiétant ? Oui, il avait butiné de fleur en fleur, se régalant de leurs couleurs, s'enivrant de leur parfum, mais sans jamais pour autant éprouver le moindre désir de se fixer près de l'une ou de l'autre.

Jusqu'à moi.

Il s'est interrompu et, devant son visage empreint de souriante gravité, j'ai senti passer le souffle d'un moment inoubliable.

La nuit précédant notre rencontre, il avait rêvé d'un homme las et solitaire, voguant au fil de l'eau. D'une femme qui lui tendait la main pour lui permettre d'accoster. Songe qui l'avait bouleversé car cet homme – ses études lui avaient permis de le reconnaître – n'était autre que lui. Et lorsque quelques heures plus tard, il avait retrouvé, en celle qui l'accueillait au portail de L'Escale, la femme de son rêve, il avait su qu'il était enfin arrivé.

La suite n'avait fait que le confirmer, j'étais bien celle que la vie réservait à sa maturité, une femme pure, intacte, qu'il pourrait aider à découvrir ses forces, ses ressources cachées, trouver son plein épanouissement, en quelque sorte à renaître, l'aboutissement de ce à quoi il aspirait depuis toujours. Et si j'étais d'accord, après m'avoir emmenée à Shanghai pour me présenter à ses parents (Tao et Hui), il serait heureux de lier sa vie à la mienne devant Bouddha, Jésus et les hommes.

Bref, Yuan m'a demandée en mariage.

Contenant à grand-peine l'explosion de mes sentiments, je lui ai répondu que je l'aimais moi aussi. Comme lui, dès le premier jour, le premier instant, j'avais su qu'il allait bouleverser ma vie. Lorsqu'il avait prononcé ces mots que je n'oublierais jamais : « Line, vous avez souffert », j'avais senti qu'il mettrait fin à cette souffrance et je ne m'étais pas trompée. De jour en jour, par sa seule présence, son seul regard, sans compter les séances sur le matelas, il avait su m'apaiser, me redonner confiance en moi, m'aider à défroisser mes ailes et, bien sûr, de là où il se trouvait, mon père applaudissait.

Mais il avait prononcé un mot terrible, un mot qui m'obligeait à l'honnêteté : « Intacte ». Et si je ne l'étais plus ? S'il découvrait que je n'avais rien de ces fleurs sans défauts dont, pour reprendre ses termes, il s'était régalé, enivré ? Si certaines détériorations de mon corps, dues à deux césariennes (mot contenant César) empêchaient l'ivresse d'être au rendez-vous ? Si je le décevais ?

C'est pourquoi, en ce qui concernait le voyage à Shanghai et nos vies liées, je me devais de réserver ma réponse. Pas avant que je ne lui aie tout montré de moi.

Et, me souvenant de ces quelques vers d'une chanson de Jean-Jacques Goldman, intitulée « Envole-moi » :

« L'hiver est glace
L'été est feu
Ici y a jamais de saison pour être mieux »,

c'est de larmes que j'ai explosé.

44

Comme la vie est étrange ! Deux heures plus tard
– midi – alors que, l'âme en peine, je passe dans le living
à la recherche d'un peu de réconfort, voilà que je tombe
sur Priscille en pleine création, entourée de ses pastels et
crayons de couleur (nouvel album). Elle agite la main.

– Line, viens voir !

Sur son carnet à dessin, une ronde de légumes dansent
autour d'un groupe d'enfants en agitant joyeusement leurs
fanes.

– Qu'est-ce que tu en penses ? Ça te plaît ?

Gare aux désastreux « Prissy », dus à un trop grand
enthousiasme. Je réponds avec modération.

– Une chose certaine : tu es en progrès.

Raté !

– À propos de « progrès », quand pourrai-je voir ta
chambre ? rebondit-elle. Je brûle de la connaître.

Un secret trop longtemps gardé peut se révéler explosif,
ne viens-je pas d'en avoir la triste preuve avec Yuan ? Je
m'entends répondre :

– Mais quand tu voudras, Priscille. À ta disposition.

Tout excitée, elle saute sur ses pieds :

– Maintenant ?

Ouille !

Je l'avertis qu'elle risque d'être déçue. Avant que je ne l'occupe, ma chambre servait de débarras à mon défunt mari qui y entreposait tout un tas de vieilleries inutilisables.

– Pour ne rien te cacher, il l'appelait son « foutoir ».

– Peu importe, nous y remédierons, promet-elle.

Nous voici à la porte – trop étroite pour laisser passer un fauteuil roulant – elle s'est permis de vérifier. Courageusement, je tourne la clé. Allume.

– Oh, mon Dieu, NON !

Le cri de douleur de Priscille me prouve, s'il en était encore besoin, la sincérité de ses sentiments à mon égard. Je précipite aux oubliettes, où gisent déjà la « clochette », le « crotale » et le « serpent à sonnette », le mot « caveau ».

Elle s'empare de mes mains :

– Oh, Line, je ne savais pas !

Je la rassure. Je ne l'accuse de rien. C'est ma propre fille qui, en choisissant d'abriter trois partenaires alors que deux auraient suffi, m'a condamnée à occuper cet endroit malsain, sans espace ni lumière. Mais tandis qu'elle en fait brièvement le tour, j'éprouve un peu de honte : la clocharde qui fait visiter ses cartons.

Elle désigne ma couche.

– Ton... ton lit ?

– Si l'on peut dire.

Mon réchaud-une-plaque.

– Et c'est là-dessus que tu cuisines ?

– Il le faut bien.

Le mini-écran.

– Ta télé ?

– Hélas !

Soudain, elle semble n'avoir plus qu'une hâte, dégager ! Dois-je lui révéler l'existence de la porte dérobée ? Attendons un peu, on ne sait jamais.

J'ai éteint et nous avons regagné le vaste et rutilant living.

– Line, s'il te plaît, dis-moi la vérité, a supplié Priscille. Est-ce moi qui t'ai pris ta chambre ?

– Mais jamais de la vie, c'est Yuan ! Toi, tu occupes la numéro 1, celle de Colomba autrefois. Claudette la 3, l'ex de Thomas.

Elle a poussé un soupir de soulagement et, d'un pas résolu, elle est allée reprendre place devant ses crayons.

– Je vais te sortir de là, a-t-elle promis d'une voix farouche.

Elle a tourné une page de son carnet, empoigné un fusain.

– Voyons les différentes options.

Sous ses doigts agiles, un large espace, coiffé d'un toit plat, bordé de verdure, est apparu.

– Première option, on déborde sur le jardin : un plain-pied lumineux et fonctionnel. Regarde : chambre, séjour, kitchenette, salle de douche…

Quelle inventivité ! Quel talent ! Hop, elle a tourné la page, troqué le fusain pour un crayon polychrome au joli dégradé de bleu et s'est attaquée au croquis suivant.

– Seconde option, c'est sur le living qu'on empiète en y ouvrant une baie supplémentaire. Avantage : tu participes de plus près à la vie commune, repas, télé, tu vois ?

Parfaitement ! En ajoutant à son empiétement les travaux prévus à partir de la porte d'entrée, il ne resterait de ma chère châtaigneraie que peau de chagrin. Je le lui ai fait remarquer avec nostalgie.

Croyez-vous qu'elle a insisté ? Cherché à m'imposer son choix ? Comme je l'avais mal jugée ! Elle a lâché son crayon.

– Reste une troisième option : je te laisse ma chambre.

Prise d'un fol espoir – Priscille comprend enfin que, pour mon propre bien, elle doit renoncer à son projet et quitte d'elle-même les lieux –, je demande d'une voix tremblante :

– Mais toi, où tu vas ?

– Chez Claudette, bien sûr.

– Mais Claudette, qu'est-ce qu'elle fait ?

– Elle s'installe dans le bel appart de Garance, à Angers. Ne t'en fais pas, je suis sûre qu'elle sera d'accord.

Notre éthologue, si attentive à la fin de vie ?

45

« Allô, mamounette, tout roule ? No news, good news ? »
s'enquiert Colomba au téléphone. Au cas où, avec le printemps, tu changerais d'avis pour les câlins, sache que ça
tient toujours du côté site de rencontre-veuf blindé. »

« Bonne moisson dans la boîte aux lettres numéro 1 ? »
demande régulièrement Maxence, rigolard, en tapotant
sa boîte à outils. À votre disposition pour dézinguer la
chambre correspondante. »

« Dis donc, on dirait qu'entre Priscille et toi le climat
s'améliore, se réjouit Claudette. Heureuse pour toi. »

Il arrive que, même entourée de l'affection des siens,
on se sente parfois un peu seule. Pauvre Claudette, si elle
se doutait de ce que la « Clochette » trame dans son dos !

J'ai, bien entendu, montré à Yuan les croquis de Priscille
et il en a, lui aussi, admiré l'inventivité. Tout en redoutant un clash le jour où l'inventrice ferait part à notre
éthologue de son intention de la virer de sa chambre
pour l'occuper et me donner la sienne : lits musicaux,
musique de l'amitié.

Sur son conseil, j'ai donc demandé à Priscille de patienter un peu, prétextant vouloir encore réfléchir aux deux premières options : empiétement sur jardin ou maison.

Yuan a, pour sa part, fait le nécessaire auprès de la mairie : le dossier « Flanchet-loi Alur-Escale » n'attend que son feu vert pour passer à la trappe.

N'empêche ! Il me semble parfois être dans l'un de mes tumultueux polars et j'ai hâte d'avoir tourné la dernière page.

*

Il arrive que le destin pose la main sur votre épaule.

Nous sommes le 31 mai, triste jour de fête des Mères. Il est 15 heures, je rêvote du lotus bleu près de Paul dont les bourgeons laissent peu à peu place à de jolies feuilles palmées vert tendre, lorsque la voiture familiale d'Alma : haut pavillon, sièges rabattables, conduite assistée, s'arrête au portail.

Je jaillis de ma chaise longue. Pour qu'elle débarque sans m'avertir, faut-il que la situation soit grave ! Baudouin viré ? Marine, partie avec l'argenterie ? Fugue d'un petit-enfant gavé de bonnes manières ? Mais alors que je m'apprête à la prendre dans mes bras, son cri d'indignation me fige.

– Pourquoi ne m'as-tu pas dit que tu abritais une vedette ?

Et elle brandit sous mon nez l'album de Priscille que je lui avais offert le samedi de Pâques – avant son malaise vagal – et dont, entre parenthèses, elle avait omis de me remercier. Album intitulé : *Fanette, Joy, Laurel et les autres*. (Pour mémoire : carotte, tomate, asperge et autres auxiliaires de santé.)

242

– Priscille Blondeau, la coqueluche des écoles, réclamée par tous les enseignants, adulée par les parents, reprend-elle avec feu. Proposée pour la médaille des palmes académiques en remerciement de son action auprès de la jeunesse. En un mot, une fée !

Dans mon esprit en ébullition, la fée Clochette passe en trombe.

– Et il a fallu que ce soit par leur école que j'apprenne où elle logeait : CHEZ TOI !

Restons modeste.

– Tu sais, Alma, lorsqu'on partage le quotidien de quelqu'un, il arrive que l'on zappe la star. Et Priscille est si modeste, si réservée. Jamais, tu ne l'entendras se vanter. Veux-tu en juger par toi-même ? Elle est là.

Alma, qui vibrionnait fiévreusement autour de moi, pile net.

– Là ? Ici ? Maintenant ? T'es sûre ?

– À moins qu'elle ne se soit envolée. (Sur ses ailes de fée.)

– Mais n'allons-nous pas la déranger ? s'inquiète Alma en fonçant vers la maison. Crois-tu qu'elle acceptera de me signer son album ?

– Je suis sûre qu'elle en sera ravie.

Avant d'entrer dans la châtaigneraie, elle sort un poudrier, retouche son maquillage, fait bouffer sa montgolfière.

– Ça va ?

– Toi, c'est toi.

Je pousse la porte.

Une bonne odeur de gâteau aux carottes – sucre de canne, huile vierge de lin, œufs du jour, farine bio, noix

243

de muscade – confectionné ce matin même par Priscille nous accueille. L'artiste est à sa table. Me voyant entrer accompagnée, elle se lève poliment. Je lui présente Alma toute frémissante.

– Mon amie d'enfance.

Avant qu'elle n'en soit revenue, voilà Alma baisée sur les deux joues, tutoyée dans la foulée.

– Amie d'enfance ? Si tu savais comme j'ai rêvé d'en avoir une, s'extasie Priscille. Celle qui comprend à demi-mot, à qui l'on peut tout confier sans crainte d'être trahie. Hélas, ballottée d'école en école, j'en ai été privée. Mais assieds-toi, je t'en prie.

Au bord de la pâmoison, Alma tombe sur une chaise. Je tombe à côté d'elle, tout aussi choquée. En des semaines de cohabitation, tendre sollicitude et protestations d'amour, je n'ai pas été jugée digne de recevoir une telle confidence, proche de celle que tante Marthe m'a faite si spontanément. Qu'en penserait cette dernière ?

– Mais il n'est jamais trop tard ! s'embrase d'un coup Alma. Ne demeurons-nous pas toujours quelque part l'enfant que nous avons été ? Si tu veux, je serai cette amie qui t'a tant manqué.

Et, au fumet du gâteau aux carottes, s'est mêlé le parfum d'un *Daphne odora*.

Tandis que nous dégustions son œuvre, accompagnée d'une tasse de thé vert détox, Priscille nous a appris que l'origine du gâteau, en forme de cake, était la Grande-Bretagne (décidément !). Tout naturellement, Alma a rebondi sur

Hannah, sa nannie-dragon anglaise et sur l'arbuste Merlin l'Enchanteur qui berçait de son parfum ses nuits de solitude.

Bien sûr, le *Daphne odora* n'avait pas de secret pour la protectrice des plantes, ni le prophète magicien, épris de la fée Viviane, qui lui avait offert l'épée Excalibur (à ne pas confondre avec Durandal qui servait au chevalier Roland à occire les Sarrasins), celle-ci permettant d'atteindre la sérénité.

Daphne odora, prophète magicien, épée-sérénité, c'est très exactement à cet instant que le destin m'a fait signe. Et, en quelque sorte, c'est moi qui ai volé.

Plus tard, Priscille a signé l'album d'Alma. Alma a remis sa carte à Priscille. Elles se sont promis de se revoir très vite.

Tandis que je raccompagnais mon amie au portail, passant devant le potager où Georges, dressé sur le toit de son pondoir, nous a saluées d'un vibrant cocorico, je lui ai fait remarquer que, non contente de chanter les légumes dans son œuvre, Priscille les cultivait. Elle était également experte en fleurs, notamment les comestibles : capucine, pensée ou chrysanthème. À propos, où en était-elle avec Marine ?

Son visage s'est assombri.

– À la fin du mois prochain, elle sera partie.

– As-tu trouvé quelqu'un pour la remplacer ?

– Je doute d'y parvenir.

Et elle a ajouté avec un profond soupir de regret :

– Tout le monde n'a pas ta chance d'avoir une Priscille.

J'ai su ce qu'il me restait à faire.

46

Samedi après-midi (lendemain de fête des Mères, ouf !), j'ai frappé à la porte de Priscille et je lui ai demandé de bien vouloir me recevoir dans sa chambre, comme elle l'avait fait récemment pour évoquer la loi Alur. J'avais moi-même une information importante à lui communiquer et souhaitais que nous ne fussions pas dérangées. Devant son air inquiet, je l'ai tout de suite tranquillisée : il serait, entre autres, question de ces amies d'enfance auxquelles elle m'avait paru attacher tant d'importance. Et elle s'est un peu détendue.

Je lui ai laissé d'autorité le fauteuil à oreilles en kit, si réconfortant que l'on avait du mal à s'en extraire, et je me suis installée à la table. C'est alors que j'ai reconnu, sur une enveloppe parmi d'autres, la belle écriture à l'ancienne de tante Marthe. Et curieusement, alors que sa présence aurait dû me plonger dans la perplexité, l'interrogation, voire le remords, la savoir là m'a aidée. Ce qui allait se dire, et même si Prissy risquait d'en être blessée, serait la seule façon d'éviter que tôt ou tard, je ne trahisse le secret que Marthe m'avait confié.

Forte de son encouragement, je me suis lancée.

J'avais décidé de vendre L'Escale pour aller vivre chez mes frères Nicolas et André en Australie, pays béni où l'on fête Noël à la plage. En effet, mon ostéopathe (Yuan) m'avait conseillé, pour retarder la triste échéance du fauteuil roulant, de confier mes vieux os au soleil, pourvoyeur en vitamine D, si précieuse pour la santé à condition de n'en pas abuser.

Surtout que Priscille se rassure, cela ne nous empêcherait pas de nous voir. Elle serait mon invitée permanente à Sydney et il ne se passerait pas d'année sans que je revienne en France voir ceux qui m'étaient chers, elle en particulier.

Afin de me permettre de réaliser mon projet, j'avais un petit service à lui demander : accepter de résilier son bail, signé pour un an. Je tenais les papiers à sa disposition. Bien sûr, je faisais confiance à Claudette et à Yuan, si soucieux de ma santé, pour ne pas s'y opposer eux non plus.

Ah, un dernier point ! Nous n'avions plus de souci à nous faire du côté de la loi Alur, si mal respectée par ma fille. Ce serait au futur propriétaire de se mettre en conformité avec elle. Je me chargerais moi-même, le moment venu, d'en avertir la bonne Mme Flanchet.

Puis, j'ai rapproché ma chaise du fauteuil à oreilles de Priscille : merci de m'avoir laissée parler sans m'interrompre. À toi.

Quand Priscille a libéré son visage de ses mains où elle l'avait enfermé dès mes premières paroles, et que je l'ai découvert tout gonflé, baigné de larmes, j'ai eu du mal à retenir les miennes. Tandis qu'elle s'épongeait, je suis allée tout naturellement chercher secours du côté de tante Marthe dont j'ai glissé discrètement la lettre dans ma poche.

Elle a remis son mouchoir dans la sienne.

– Es-tu vraiment obligée de partir si loin ? a-t-elle hoqueté. Ne sais-tu pas qu'il existe aujourd'hui des soleils artificiels qui transforment l'hiver en été ? Sans parler des panneaux solaires. Ne pourrions-nous en équiper L'Escale ?

– Oh non, Priscille, pas ça ! Pas toi qui t'es vouée à l'authentique, ai-je protesté. Et quelle lumière pourrait-elle remplacer celle de ma famille retrouvée au pays des kangourous ? Quel soleil aurait-il la force de celui se reflétant sur un océan dont je compte bien user et abuser tant que l'âge me le permettra ?

– Mais que ferai-je sans toi ? s'est-elle écriée.

« Que serais-je sans toi »... Le poème d'Aragon chanté par Jean Ferrat est revenu à ma mémoire... Il y a des chansons pour accompagner toutes nos épreuves, adoucir toutes nos peines, nous rappeler que nous ne sommes pas les seuls à souffrir.

Il était temps de tenir ma promesse-amie d'enfance.

– Toi ? Mais tu iras chez Alma, bien sûr !

J'ai pris sa main. Alma qui, j'en étais certaine, se ferait un bonheur de l'accueillir dans son vaste appartement, entouré de terrasses à l'abandon, où elle pourrait créer autant de potagers qu'elle voudrait. Tout en faisant une bonne action.

La réaction de Priscille ne m'a pas étonnée : concernée. Elle a relevé timidement le nez.

– Alma ? Une bonne action ?

– Me promets-tu de garder pour toi ce que je vais te dire ?

Elle a incliné la tête.

Je lui ai confié que notre amie ruinait sa santé ainsi que celle de son pauvre mari en se gavant de nourriture industrielle. Sans parler de ses petits-enfants abonnés aux fast-foods.

– Mon Dieu, la malheureuse ! s'est-elle désolée. Et tu crois vraiment que je pourrai l'aider ?

– Vois comme elle a apprécié ton gâteau aux carottes !

– C'est vrai. Et moi son daphné : une plante aux fleurs si colorées et si délicates à la fois.

– Comme elle, l'ai-je devancée.

Soudain, une idée a fait briller ses yeux.

– Et si je mettais un daphné dans mon prochain album, tu crois que ça lui ferait plaisir ?

J'ai applaudi :

– Elle en sera comblée.

Soudain fébrile – d'un extrême à l'autre, m'avait expliqué Yuan –, elle a désigné ses crayons, son carnet de croquis.

– Tu as bien parlé de « plusieurs » terrasses ?

– Ouh la la, je ne sais pas combien de mètres carrés ! toutes les orientations.

– Pourras-tu m'en faire un plan pour que je m'y retrouve ?

– Si tu es d'accord, nous le ferons ensemble (option n° 4 : emménagement chez Alma).

– Mais d'abord, Line, je t'en supplie, réfléchis. Réfléchis encore.

Ne pas laisser d'espoir, la pire des tortures.

– C'est tout réfléchi, Priscille, ma décision est prise.

Elle a eu un gros soupir.

– « Alma », un joli prénom pour un daphné, tu ne trouves pas ?

Un peu plus tard, refermant la porte de la chambre numéro 1, j'ai senti frémir la liberté.

47

Lorsque j'avais raconté à Yuan la bouleversante rencontre entre Alma et Priscille, et le plan que le destin m'avait soufflé pour écarter celle-ci de la maison sans qu'elle en souffre trop, étant bien placé pour savoir que je n'avais pas eu de nouvelles de mes frères depuis une bonne trentaine d'années, il avait été bluffé par la fertilité de mon imagination ainsi que par la rigueur avec laquelle, malgré une nature un peu brouillonne, j'avais affûté ma tactique pour parvenir à mes fins.

– J'ignorais que j'allais épouser une femme de tête, m'avait-il lancé avec malice.

Lorsque au sortir de la chambre numéro 1, je me suis glissée discrètement dans la numéro 2 où il m'attendait et que je lui ai narré la totale réussite dudit plan, sans lui cacher que, voyant couler les larmes de Priscille, j'avais dû retenir les miennes, il m'a serrée contre sa poitrine.

– Là, c'est la femme de cœur qui a parlé.

Et c'était les deux qu'il aimait.

Femme de tête, femme de cœur, bon, bien, d'accord ! Mais la femme de chair, celle qui fait trembler la voix des poètes comme des voyous, à quand son tour ?

En attendant, il m'avait mijoté une jolie surprise en réservant une table pour nous à L'Embellie, restaurant quatre étoiles de Sainte-Gemmes (« fleur de la Loire ») sur la rive d'en face : traversée en gabare.

Mais voilà qu'un nouveau problème se posait. Était-il raisonnable de laisser Priscille en tête à tête avec Claudette après ce que je venais de lui apprendre ? Sous le coup de l'émotion, ne risquait-elle pas de lui tomber dessus pour lui faire partager sa peine ? Connaissant la nature bouillonnante de notre amie, nous pouvions prévoir sa réaction : la terre entière alertée, à commencer par Colomba, ma pauvre fille, à qui, vu son penchant à tout compliquer, je m'étais bien gardée de parler. Une belle pagaille en perspective. Seule solution, parler à Claudette avant que Priscille ne le fasse.

C'est ainsi qu'à 19 h 30, heure de son retour (variétés à la télé), nous l'avons enlevée dès son arrivée au portail et conduite manu militari au fleuve où la gabare nous attendait.

*

Ce qu'il y a d'épatant avec Claudette, c'est qu'elle est toujours partante pour les surprises, l'aventure. De moins épatant avec moi, c'est qu'il m'arrive, par trop d'anxieuse précipitation, d'en gâcher l'annonce. J'ai donc promis à Yuan d'attendre son feu vert pour la mettre au parfum de la machination.

254

L'Embellie est un restaurant chiquissime fréquenté par la meilleure société d'Angers. Lorsque, suivant le maître d'hôtel (dans ses petits souliers vernis), nous faisons notre apparition sur la terrasse où notre table a été réservée, les conversations s'interrompent, les regards incrédules se tournent vers l'éthologue en tenue de combat : jean maculé, pull serpillière, baskets de bouseuse. Une erreur de casting ?

Coupant court à de probables remarques désobligeantes, Yuan la traite en hôte de marque, multiplie les égards, lui présente son siège et, dans la foulée, commande haut et fort une bouteille de Dom Pérignon.

Naturellement portée à la bienveillance, Claudette ne n'est aperçue de rien. Elle sourit alentour, s'étale dans sa bergère, s'étire, s'émerveille bruyamment du décor : la romantique tonnelle parée de glycine et de chèvrefeuille, la lumière dansante des photophores sur les tables, le fredon de la rivière à nos pieds. Tout émue, elle désigne, de l'autre côté de celle-ci, tout là-bas, le joli toit de tuiles-canal. Ne serait-ce pas celui de notre chère Escale ? « Notre »… mon cœur se serre.

Heureusement voilà le champagne, accompagné d'une assiettée de zakouskis angevins. La bouteille est présentée à Yuan qui approuve du menton, nos coupes sont remplies. Alors que nous les levons, Claudette revient à la charge.

– Peut-on savoir à quoi l'on trinque ?

Yuan me sourit : feu vert. Suivant son conseil, après avoir savouré une gorgée du nectar portant le nom d'un moine bénédictin, je démarre en douceur.

– Jamais tu ne me croiras, Claudette. Figure-toi que Priscille a décidé de tenter une OPA sur ta chambre.

Bien sûr, elle se gondole.

— Ah bon ? Et comment ça ?

— En te prenant par les sentiments.

— Ceux que je porte à nos amis les « pas bêtes » ?

— Ceux que tu éprouves pour moi.

Profitant de la surprise de mon interlocutrice, je déguste un mini-feuilleté aux anchois.

— Et le rapport avec ma chambrette ?

— Elle te la pique pour me donner la sienne, compatible avec un fauteuil roulant.

L'éclair d'inquiétude qui traverse le regard de Claudette indique clairement son souci : je perds la tête. Elle se tourne vers le maître.

— Si tu m'expliquais ça ? demande-t-elle d'une voix faussement légère.

Faisant confiance à Yuan, je redis un mot à Dom Pérignon.

— Tu n'as pas été sans remarquer l'affection que Priscille porte à Line, débute celui-ci. À la vérité, ayant perdu sa mère lorsqu'elle était enfant, elle fait une fixation sur elle.

Quel art ! Tout est dit, rien n'est trahi. Ma main étreint l'enveloppe de tante Marthe dans ma poche : elle peut être tranquille, son secret sera bien gardé.

— C'est ainsi que Priscille s'est donné pour mission de mettre L'Escale aux normes de la loi Alur afin de permettre à Line, le jour venu, d'utiliser un fauteuil roulant, confirme Yuan.

— Monte-escalier, baignoire à porte, bandes antidérapantes, sonnette d'alarme, complété-je.

Même s'il fait sursauter toute la terrasse, l'éclat de rire tonitruant de Claudette me comble. À nouveau, elle s'adresse à moi.

– Quand t'es prête pour les couches-culottes, tu le dis.

Je le dis.

– C'est justement pour y échapper que, pas plus tard que cet après-midi, j'ai annoncé à Priscille mon intention de vendre L'Escale pour m'installer en Australie chez mes frères.

Le rire de Claudette se brise, son visage se décompose : je sais être convaincante.

Elle aboie :

– Et tu crois peut-être que je vais te laisser faire ?

Avant qu'elle ne pleure, je lui livre la vérité.

– Pas de panique, c'est rien qu'un complot pour obliger Priscille à décamper.

Et c'est là qu'elle pleure : de soulagement.

L'amitié.

48

Ici, nous avons fait une pause pour étudier la carte et passer commande. L'Embellie proposait un menu bio. Pourquoi y ai-je souscrit ? Pour expier quoi ? Le vilain « décamper » ? Me faire pardonner de celle qui annonçait dans sa lettre son intention de venir bientôt rendre visite à sa nièce dans la maison qu'elle aimait tant et faire la connaissance de son hôtesse (moi) ? Ma décision de détruire cette lettre, Prissy n'étant plus en mesure d'y répondre favorablement ?

Yuan et Claudette ont, eux, porté leur choix sur un agneau de pré-salé, saisi sur le gril.

Nos coupes ont été à nouveau remplies. Là-bas, sous le toit de tuiles-canal, cette mince lumière, ce falot : L'Escale ?

– Peux-tu me donner un peu plus de détails ? a demandé Claudette.

Dévider une fois de plus le triste scénario était au-dessus de mes forces. Yuan l'a compris, qui a pris le relais. Tandis qu'il en détaillait les grandes lignes, la spécialiste du comportement animal, si proche du nôtre, ouvrait des yeux

incrédules. Moi-même n'avais-je pas du mal à y croire ?
Dans un roman peut-être, mais dans la vraie vie...

— Et comment l'intéressée a-t-elle réagi à son limo-
geage ? a demandé l'éthologue avec gourmandise en gobant
une olive fourrée au piment.

— Oh, s'il te plaît, Claudette, pas de ces mots-là ! suis-je
intervenue. Et jamais je n'aurais mis Priscille en demeure
de partir si je ne lui avais pas trouvé un point de chute.

— Ah bon ?

— Chez Alma. Ses petits-enfants sont fous de ses albums
et elle-même pas insensible à la notoriété.

Claudette avait eu l'occasion de croiser une ou deux
fois Alma à L'Escale et sa montgolfière l'avait beaucoup
impressionnée. Ne lui avait-elle pas trouvé une ressem-
blance avec une espèce de poisson-lune appelé « Mola-
Mola », qui gonfle et hérisse ses piquants en cas d'attaque ?
Tout elle !

Je lui ai raconté le coup de foudre entre les deux femmes,
la blessure de Priscille privée d'amie d'enfance, l'enfance
d'Alma entre Merlin, Viviane, Excalibur et la nannie-
dragon. Bref, une rencontre entre deux âmes sœurs. Et
que Claudette ne se moque pas. Il n'était qu'à la voir avec
sa Garance pour deviner qu'un même phénomène s'était
produit entre elles.

Elle ne s'est pas moquée.

Emportée par mon élan, je lui ai annoncé que, très bientôt, je rejoindrais Yuan à l'étage. Oubliant que j'avais réservé
ma réponse – il n'y avait pas que Priscille à succomber
aux vapeurs de l'alcool... Et Claudette, qui avait compris
depuis belle lurette que les attentions que me manifestait

Yuan n'étaient pas seulement dues à mon âge, a tenu à trinquer à nouveau.

– Tchin à la Chine ! a-t-elle lancé avec enthousiasme.

Séduit par son énergie, un dîneur en costume-cravate, chaussures Richelieu, mine altière – homme d'affaires ? Chine, pays émergent – a levé son verre dans sa direction, bientôt suivi par d'autres, visiblement intrigués. Qui pouvait être cette fascinante personne ? Une actrice ? La vedette d'un groupe pop ? rock ? Forcément une artiste ainsi qu'en témoignait sa tenue branchée, novatrice. Quelques portables ont été brandis, des flashs ont crépité. En conférencière chevronnée, Claudette n'a pas ménagé ses sourires.

Mais voilà que son visage redevient sérieux lorsqu'elle revient à nous. Si ses calculs sont bons, deux chambres seront bientôt libres à L'Escale : celle de Priscille et la mienne. Peut-elle d'ores et déjà proposer la candidature de Garance pour les deux ?

Elle s'explique : depuis sa visite chez nous, sa compagne ne rêve que de s'installer en bord de Maine et y monter un élevage d'écrevisses, sa passion. Osera-t-elle nous avouer que, dans sa tête, elle en a déjà établi les plans ? Elle viendra plaider sa cause dès que nous l'y autoriserons. Donc : Garance à l'étage, son bureau au rez-de-chaussée.

Claudette, Garance et les écrevisses, Yuan et moi, Georges et Gertrude, il faut de tout pour faire un monde. Les deux chambres ont été attribuées à celle qui portait si bien le nom de l'héroïne des *Enfants du paradis*.

Le menu bio : velouté de pois cassés sans croûtons ni crème, filet de merluchon cuit à la vapeur, accompagné d'une purée de rutabagas non salés et crumble aux pommes (sans morceaux) s'est révélé décevant. Voyant mes partenaires se régaler d'agneau bien grillé, rosé à point, servi avec des pommes de terre au four gorgées de beurre frais, suivi d'une pyramide de fromage de cabri, conclu par un moelleux chocolat-café, j'ai regretté mon choix.

Tout était calme à L'Escale lorsque nous sommes rentrés.

Dès demain, j'irai annoncer son bonheur à Alma.

49

Lorsque au retour de la messe avec Baudouin, armée d'un missel et d'une boîte à gâteaux, Alma m'a découverte assise sur une marche d'escalier devant la porte de son appart, un cri du cœur lui a échappé.

– Mon Dieu, il est arrivé quelque chose à Priscille !

– En effet, ai-je soupiré. Puis-je rentrer une minute ?

Écartant son mari, comme d'hab à la recherche frénétique de ses clés, elle m'a ouvert et entraînée direct à la table de bois où, récemment, elle m'avait confié ses soucis : le départ de Marine, Baudouin risquant d'être congédié, elle-même mise au rencard. À en juger par l'état lamentable de sa terrasse, la situation ne s'était pas améliorée, il était temps que j'intervienne.

– Vite, raconte, a-t-elle supplié, à peine avions-nous pris place sur les chaises vintage à trou-trous.

– Tu dois d'abord me promettre de ne répéter à personne ce que je vais te confier. Et surtout pas à Colomba qui en ferait une maladie.

– Promis, vas-y, démarre… s'est-elle impatientée.

J'ai démarré, pédale douce.

— Figure-toi que mon dos me cause de gros soucis.

— Oh, Line, au fait, s'il te plaît ! m'a-t-elle interrompue. Puisqu'elle insistait.

— Bref, j'ai décidé de vendre L'Escale pour aller chauffer mes vieux os en Australie chez mes frères Nicolas et André.

Les yeux de mon amie se sont agrandis. Elle a porté la main à sa bouche comme pour retenir un cri. Mon cœur a fondu : elle tenait donc un peu à moi ?

— Mais si tu vends L'Escale, que va devenir Priscille ? s'est-elle écriée.

J'ai ravalé mon mal de dos, ma chère maison, mes illusions. Oui, Priscille, c'était bien elle, le problème. Cette grande-petite fille que j'avais accueillie chez moi, lui permettant de réaliser son rêve d'enfant ballottée d'école en école : cultiver les légumes qu'elle dessinait si bien. Qui sait où elle atterrirait après mon départ ? Très probablement chez les gens sans scrupules que seule sa notoriété intéresserait : « la gloire, le deuil éclatant du bonheur », comme l'avait remarqué si justement Mme de Staël.

— Mais non, surtout pas, elle n'a qu'à venir chez moi ! s'est enflammée Alma. Tu ne le lui as pas dit ?

— Et son potager ?

— Mes terrasses lui appartiennent…

Je n'ai pu retenir un rire incrédule.

— Pas pour y planter des légumes quand même.

— Pour y cultiver tout ce qu'elle voudra.

Et, devant mon air dubitatif :

— Certains y installent bien des ruches pour récolter du miel.

– Et des poulaillers pour les œufs, ai-je glissé, Georges-Georgette dans le viseur.

Alma a sorti son portable.

– Je l'appelle !

Je me suis précipitée :

– Elle ne répond jamais le dimanche, jour du Seigneur. Sans compter qu'en allant trop vite tu risquerais de gâcher tes chances.

– Quoi, mes chances ? a bougonné Alma, vexée, en lâchant son portable qui s'est ouvert en deux sur le pavé.

– Crois-tu être la seule à la convoiter ? Une fée, comme tu l'as dit toi-même. À laquelle il faudra offrir un cadre digne d'elle. Contrairement à ta Marine, sache que Priscille est riche. Très ! Ses albums, un héritage... Il est d'ailleurs probable qu'elle propose de te payer un loyer plus que confortable. Comme elle l'a fait jusqu'ici pour moi.

Dans la réponse résolue d'Alma, il m'a semblé percevoir un bruit de tiroir-caisse. On peut aimer et savoir compter.

– DEUX chambres, a-t-elle décrété. Une pour dormir, l'autre pour créer. Salle de bains particulière, dressing...

Par terre, son portable a chanté *L'Hymne à la joie*, pas mort. Elle l'a ramassé, jeté direct dans son sac.

– Alors ? T'en penses ?

– Ça devrait aller. Mais pour le ménage...

– Oublie ! J'ai quelqu'un.

Et Alma a désigné Baudouin qui mettait le couvert dans la salle à manger.

Salle à manger... manger... alimentation... le point noir ! Il m'a semblé honnête d'avertir mon amie.

– Es-tu prête à partager ton réfrigérateur avec Priscille ?

— Quelle question ! Elle y piochera tout ce qu'elle voudra.

— Pas pour y piocher, pour y entreposer ses propres aliments. Et, à ce sujet, tu dois savoir qu'elle a des goûts particuliers et une certaine tendance à vouloir les faire partager aux autres. C'est pourquoi...

— Oh, abrège, s'il te plaît ! m'a coupée Alma. Tout ça est secondaire. Si tu me disais plutôt quand tu as l'intention de partir.

Tant pis pour elle, je l'aurais prévenue. Et tant pis pour moi...

— Sitôt la maison vendue.

— Si tu as besoin d'un coup de main, tu connais mon carnet d'adresses.

— Surtout pas, Colomba s'en chargera. À propos, elle ne sait rien. N'oublie pas ta promesse : pas un mot avant mon feu vert.

— OK, je peux l'appeler quand ?

— COLOMBA ?

— Priscille.

— Dès ce soir, ai-je cédé. Un dernier point : Marine est-elle encore là ?

— Jusqu'en juillet, s'est désolée Alma.

— Mettons que les choses s'accélèrent, que Priscille arrive avant son départ, la cohabitation ne risque-t-elle pas d'être délicate ?

— Out, la feignasse ! a tranché férocement Alma. Que je sache, nous n'avons pas signé de contrat.

Saint Baudouin m'a proposé de rester déjeuner. Il y avait assez de poulet pour trois, autant de chips que je voudrais et nous partagerions les religieuses au chocolat, prises au sortir de la messe dans notre pâtisserie.

Je l'ai remercié : une autre fois. J'étais attendue à L'Escale.

– Profite bien de ta maison tant que tu l'as encore, m'a glissé Alma en me raccompagnant à la porte.

Et elle m'a embrassée avec un joyeux soupir de compassion.

Tandis que je pédalais le long de la Loire dans la lumière particulière du jour du Seigneur, je ne pouvais me défendre d'un sentiment de mélancolie. Toute à son enthousiasme à l'idée d'héberger sa fée, Alma avait totalement zappé mon départ au bout de monde. Aucune promesse de venir me rendre visite à Sydney, pas un mot sur mes retrouvailles avec mes frères, pas même une allusion à Paul, qui, ne le lui avais-je pas confié, m'avait permis de les retrouver.

Il est vrai que, comme elle l'avait remarqué elle-même, il n'est jamais trop tard pour se faire une amie d'enfance.

50

— « Trompe de Fallope », ce nom évoque-t-il quelque chose pour toi ? m'interroge tendrement Yuan en promenant ses doigts sur le bord extérieur de mon pied (côté cœur).

Puis remontant insensiblement le long de mon cordon d'argent (plexus).

Trompe… trompette… sans doute fait-il allusion à ces fleurs dont les bosquets se parent joliment au printemps pour sonner le renouveau. Dont… notre cher pyracantha.

— Et aussi « bulbe du vestibule », « cul-de-sac vaginal », « grandes et petites lèvres », poursuit le maître, les nombreuses composantes de l'appareil génital féminin.

Ouille ! Refroidie, je retombe sur terre ; voilà ce que c'est que d'avoir la fibre poétique.

— Appareil sur lequel, si tu veux bien, nous allons nous pencher aujourd'hui.

Aujourd'hui ?

Lorsqu'à 10 heures, j'ai poussé la porte de la chambre numéro 2, j'ai tout de suite su que la séance serait particulière. Il n'était que de sentir le parfum de la tubéreuse des îles, fleur tressée en colliers lors des mariages et dont Yuan m'avait raconté qu'elle stimulait le désir tout en atténuant l'anxiété des partenaires. D'entendre la musique-mantra, telle une ardente incantation au temps qui passe, à la rose qui ne vit que ce que vivent les roses (François de Malherbe).

Et Yuan ne porte-t-il pas une tenue différente des autres fois ? Un pantalon plus large, fermé par un simple cordonnet ? N'ai-je pas moi-même, lasse de mon éternelle robe de plage, jeté mon dévolu sur un t-shirt chemise de nuit sans boutons ni ceinture ? Sans compter – un signe parmi d'autres – la pluie fine qui tombe, rafraîchit le jardin, redresse les tiges.

De mon plexus, les doigts de Yuan s'en reviennent à mes pieds, ou plutôt à ma cheville qu'ils entourent délicatement, comme d'un bracelet.

– Glande mammaire, m'apprend-il. Les seins de la femme, l'allaitement du tout-petit, le repos du guerrier, si bien chantés par les artistes...

Adolescentes, nous nous amusions, Alma et moi, à les comparer. Et, là encore, elle avait très vite pris l'avantage, ses « avantages » dépassant les miens de plusieurs tailles. Il fallait la voir jouer les bombes ! Tout en étant bien décidée à ne les offrir qu'à celui qui répondrait à ses attentes de jeune fille pourrie-gâtée : Beauté, Belle situation, Brillant avenir. Les « 3 B », comme elle disait. Croyant les trouver avec Baudouin. Raté !

Quant à moi, ce n'est pas Augustin qui m'avait consolée de mes maigres appas, les délaissant, allant en chercher ailleurs de plus rebondis (porte dérobée).

Ma revanche était venue sur le tard, les avantages d'Alma
n'ayant pas survécu à trois grossesses suivies d'allaitement,
tandis que les miens, vite taris, étaient restés intacts.

Bref ! Toujours est-il que ce matin j'ai abandonné le
soutien-gorge en même temps que la robe de plage.

Yuan s'en est-il aperçu ? Y a-t-il vu une invite ? Voilà que
ses doigts quittent mon pied, remontent sur mon mollet,
ma cuisse, se faufilent sous mon t-shirt chemise de nuit.
Je retiens mon souffle. Osera-t-il ?

Et l'y voilà ! Allant de l'un à l'autre, s'attardant aux sen-
sibles boutons (de rose) qui, sous le coup de la surprise,
se redressent, se rebiffent, tandis qu'un étrange sentiment
de reconnaissance m'emplit : merci, mon Dieu, de me les
avoir gardés en bon état ! Sinon aurais-je jamais connu ce
vertige, ce doux sentiment d'abandon ? À Dieu vat, vogue la
goélette du désir.

Oh non ! D'un seul coup ses doigts sont revenus à mes
orteils. À l'abandon, succède le vide, le manque.

– Glande pinéale, dite du « troisième œil », explique-t-il
en les rabattant d'avant en arrière, glande qui capte les
ondes électromagnétiques de la lune, astre magique dont
les cycles correspondent aux cycles menstruels de la femme.

Qu'a-t-il dit ? Trop, c'est trop ! Tout mon corps se
révolte. Aurait-il oublié ma triste confession ? Mes cycles
brisés par la main d'un chirurgien-boucher après la naissance
de Thomas, me retirant, dans la fleur de l'âge, l'appareil
qui faisait de moi une femme à part entière, saccageant ma
libido ? Fallait-il qu'il me le rappelle au moment même où
il me semblait la retrouver un peu ?

Je le repousse, m'apprête à fuir. Me fuir ? C'est alors qu'il s'empare de ma main et la guide vers le vibrant hommage qu'il rend à ma féminité. Comment résister à un tel argument ?

Puis, nous étions nus. Il caressait la double balafre marquant mon ventre, ma douleur, mon secret, ma honte.

– Il est des blessures qui honorent celles qui les portent en illustrant le sacrifice qu'elles ont fait d'elles-mêmes en donnant la vie, murmurait-il à mon oreille.

Ses lèvres prenaient le relais de ses doigts : un chapelet de petits baisers longeant la blessure comme pour la sublimer, me permettre de l'accepter en la transformant en fierté. Avant que descendant, descendant encore, elles se joignent à d'autres lèvres, s'attardent sur un autre bouton, provoquant la tiède petite marée qui, à la faveur des ondes électromagnétiques de la lune, lui permettait de se glisser en moi qui n'avais plus peur de rien.

Il va et il vient dans mon ventre. Il s'infiltre dans tous mes recoins, y compris ceux de mon cœur lorsque d'une voix de prédateur, il déclare qu'il n'aimera jamais que moi et gare à qui voudrait nous séparer.

Est-ce moi qui implore ? Est-ce lui qui refuse de me faire grâce ? Est-ce nous cette chanson sauvage ? L'amour est-il ce lent, long, profond supplice dont on voudrait qu'il dure toujours tout en exigeant son couronnement ? Cette flamme qui, à la fois vous consume et vous permet de renaître ? Cette réconciliation avec le monde et avec soi-même ?

51

Si bien réconciliée avec le monde (et avec vous-même), grisée par les parfums de la tubéreuse des îles, du jasmin et de la vanille, toute au service de Cupidon, vous en avez oublié le temps, abandonné les autres à leur petite vie étriquée, leur train-train quotidien. Jusqu'au jour où...

– Maman, dis-moi que c'est pas vrai. Tu vends pas la maison, t'as pas retrouvé Nicolas et André, tu ne pars pas pour l'Australie ?

Votre fille échevelée, éperdue, débarquant en cet après-midi de double fête : été et fête des Pères (méfiez-vous de juin) alors qu'à l'ombre de votre vert confident vous vous passiez et repassiez *L'Empire des sens*.

Elle ploie les genoux, s'abat contre votre transat, son regard supplie. Vite, la rassurer !

– Mais qui t'a raconté cette blague ?

– Alma. Elle a trouvé un acquéreur, elle voulait que je lui refile les clés...

Merci, Alma ! Fidèle à elle-même : les serments n'engagent que ceux qui les croient.

Colomba relève le nez.

– Une blague, t'as dit ? Alors t'as pas retrouvé mes frères ?

Vous désignez le ciel, soupirez :

– Trente ans de silence, Dieu seul sait où ils sont.

– Et l'Australie, une blague aussi ?

– Il m'est arrivé d'en rêver.

– Et pourquoi elle a inventé ça ?

– C'est pas elle, c'est moi.

– COMMENT ?

La seule idée de devoir dérouler à nouveau toute la pelote : vieux os, loi Alur, fauteuil roulant, vous épuise d'avance. Vous chapardez à votre fille la cigarette qu'elle est en train d'allumer, en tirez une bouffée, vous étouffez.

– ET EN PLUS, TU FUMES !

Vous vous levez résolument :

– Ne t'en fais pas, jamais à l'extérieur. Souviens-toi de ce que disait ton père : un mégot mal éteint a vite fait de déclencher un feu de forêt.

Subjuguée, elle vous suit vers la maison, par bonheur vide. Imaginez que Priscille ait été là, elle disant noir, vous blanc, Colomba n'importe quoi. Dans quel pétrin vous êtes-vous encore fourrée ? Décidément, vous avez l'art. Oh, Yuan... Et ne dirait-on pas qu'à la seule évocation de son nom vous vient une bouffée de chaleur ? C'est bien le moment !

Vous tombez sur le canapé, Colomba tombe à vos côtés.

– ALORS ?

Cette manie de parler en majuscules. Bon ! Quand faut y aller, faut y aller.

– Tu connais la loi Alur ?

– Évidemment ! Quel rapport ?

– TOUT ! savais-tu que L'Escale n'était pas aux normes ?

– Bien sûr. Les normes, la dernière préoccupation de papa.

S'il n'y avait eu qu'elles…

– Eh bien, apprends que Priscille Blondeau nous a dénoncées à la mairie.

– MAIS POURQUOI ?

Ça recommence ! Vous racontez votre « plein le dos » et la décision de l'orthorexique prêcheuse – appelons les choses par leur nom – de s'en occuper. Le fauteuil roulant lui rend son sourire, la baignoire à porte, son rire, votre imagination l'enchante, refiler la « fêlée » à Alma, c'est gonflé.

Elle pique un bisou sur votre joue.

– Tu crois pas que tu lis un peu trop de polars ?

Vous en convenez. Et, pour faire amende honorable, vous décidez de renoncer à fumer : mourir pour mourir, autant le faire sans cracher vos poumons.

– Elle m'a aussi parlé d'un Paul, c'est qui celui-là ? revient à la charge Colomba.

Ce prénom dans la bouche de votre fille, ça vous fait drôle quand même.

– Juste un vieux copain sur lequel elle a un peu trop tendance à fantasmer.

– Je le connais, le vieux copain ?

– Tu ne connais pas tout de ma vie, ma chérie.

Avant qu'elle vous demande d'y remédier, la pendule vient à votre secours en frappant cinq coups. Vous désignez le réfrigérateur : « l'heure, c'est l'heure ».

Votre fille y est déjà. Tandis qu'elle sort la bouteille de rosé d'Anjou, vous préparez les ballons.

– Et quand dégage l'allumée ? demande-t-elle tout en maniant le tire-bouchon.

– Dans une petite semaine.

– Et elle dira quoi quand elle apprendra que tu l'as blousée ?

– Peu importe ! Bail résilié : impossible de revenir en arrière. Dossier géré par Me Zhoû.

– ZOU ?

– Avec un chapeau chinois sur le « u » : un ami avocat de Yuan.

Et alors que vous prononcez son nom, qui apparaît à la porte de la châtaigneraie ? Votre fiancé.

Tandis que vous sortez un troisième ballon, il vient s'incliner devant Colomba, tout heureux de la voir là. S'empare de la bouteille, fait le service, lève son ballon.

– Peut-on savoir à quoi l'on trinque ? demande-t-elle.

Très exactement les paroles de Claudette lors d'une soirée mémorable à L'Embellie. Vous ne résistez pas.

– À Shanghai.

– SHANGHAI ?

Colomba, qui en était restée à Sydney, manque de lâcher son verre. Vite, vous complétez.

– Pour y rencontrer les parents de Yuan.

– J'ai l'honneur de vous demander la main de votre mère, enchaîne tout de go (jeu chinois) ce dernier.

Et certains diront qu'en Chine on n'est pas rapide !

Sans doute ébranlée par tant de révélations, votre fille est repartie sans terminer son ballon : une première. Et encore, vous ne lui aviez pas dévoilé le plus beau : la résurrection de votre libido grâce à l'art de la réfléxologie plantaire et aux ondes électromagnétiques de la lune.

Mais, outre que cela aurait pu lui paraître désobligeant vis-à-vis de son père (le jour de sa fête en plus), raconter à la chair de votre chair vos culbutes au lit, vous n'étiez pas de ces mères-là.

52

Est-ce possible ? Voilà déjà une quinzaine que Priscille a déménagé pour s'installer chez Alma.

Non sans grattages de tête et cas de conscience.

Cas de conscience, le pauvre Georges. Allait-elle mobiliser l'une des précieuses terrasses de son hôtesse pour un coq (non pondeur) et sa bicoque ? Pas très délicat. Mais alors qu'en faire ? Compter sur le nouveau propriétaire de L'Escale pour le garder ? Hasardeux. Le rendre à la ferme qui le lui avait confié pour adoption ? Trop vieux. Elle m'a avoué n'en avoir pas dormi.

J'ai réglé le problème en lui annonçant que je serais heureuse de m'en occuper.

– Toi ? Mais tu ne vas quand même pas l'emmener à Sydney ?

– Quand on aime...

Confuse, elle a baissé les yeux.

Et il est vrai que je m'y étais attachée. Tant de souvenirs coquasses en commun. Et, grâce à nos soins, ce flamboyant cocorico ! Par ailleurs, je n'ignorais pas qu'à force de tourner autour du potager Gertrude avait, elle aussi, succombé. La preuve ? Le soir même du déménagement, elle s'installait dans le pondoir sous l'œil rond et charmé de Georges. Nouveau couple ?

Grattage de tête, le vélo-lave-linge – une tonne – qui ne rentrait pas dans l'ascenseur d'Alma. Gravir six étages, l'engin sur l'épaule, même saint Baudouin s'y refusait. Louer un élévateur pour un deux-roues ? D'autant plus ridicule que, depuis que Charles, mon inventif petit-fils, l'avait testé, il fuyait. Là, sans cas de conscience, vélo-lave-linge à la décharge.

Pour le reste : fauteuil à oreilles en kit, bombonne d'eau, précieux contenu de l'étagère numéro 1 du frigo, matériel de dessinatrice, linge, fripes, Tic et Toc s'en sont chargés. Ils m'ont exprimé leur peine de me voir partir si loin ; ils me regretteraient. Cela m'a touchée. Ce sont souvent les « petits, les obscurs, les sans-grade », qui ont le cœur le plus vaste. N'est-ce pas, Edmond (Rostand) ?

Il n'y a pas eu de pot de départ.

Et, à propos de « pot de départ », me voilà bien ennuyée, Alma s'étant mis en tête d'en organiser un pour le mien. Elle commence à établir la liste des invités. Il est grand temps de lui annoncer mon changement de plan (je ne pars plus). Comment va-t-elle le prendre ?

Je m'en suis ouverte à Yuan (alias Me Zhoû pour les besoins de la cause). Le rôle d'un avocat, comme celui de tous les « gens de robe » auxquels on peut ajouter le clergé, étant de prévoir le pire, il m'a vivement conseillé de commencer par changer la clé de la maison au cas où Priscille en aurait fait faire un double. Imaginons qu'apprenant mon revirement et me soupçonnant de je ne sais quelle machination elle revienne d'autorité reprendre possession de sa chambre ? Nous serions dans de beaux draps.

C'est bien sûr Maxence, l'Arsène Lupin du poinçon tourneur, qui s'est chargé de la besogne. J'en ai profité pour lui faire part de ma liaison avec Yuan et de notre intention de nous marier.

– Chapeau, Line ! Toujours à la pointe du progrès, a-t-il applaudi.

Cela m'a fait plaisir.

J'ai attendu que soit passée l'assommante journée du 14 juillet – défilés, lampions, pétards, discours, bals, exactions diverses : tout ça pour fêter quoi ? La prise d'une bastille où croupissaient quelques malfrats sans envergure – pour m'inviter à l'heure du thé chez Alma. Priscille pourrait-elle être présente ? J'avais à leur parler.

– Viens, tu auras une surprise, a répondu joyeusement mon amie.

Il était 16 heures, ce vendredi 17, Sainte-Charlotte (carmélite guillotinée), lorsque, un peu gênée, j'ai sonné à sa porte. J'avais, moi aussi, une surprise : pas sûr qu'elle lui plairait.

C'est Baudouin qui m'a ouvert, l'air gris. Il a désigné la terrasse :

– On vous attend, vous connaissez le chemin, et il s'est évaporé.

– Admire ! m'a lancé Alma.

Je suis restée clouée.

Plus de table à photophores et parasol. Exit bacs, pots, rocailles, arbres d'ornement. Un champ ! Au milieu duquel, en tenues de jardinières, chapeaux de paille, pieds dans des sabots, s'activaient les deux femmes, grands sourires et teint hâlé.

— Viens pas, tu vas mettre de la terre partout, a ordonné Alma, et elle m'a rejointe sur le seuil du salon où elle a envoyé valser sabots et chapeau, révélant le plus étonnant : une montgolfière lâchée qui la rajeunissait de dix ans.

Elle m'a expliqué qu'il s'agirait bien d'un champ. Un champ-potager où se mêleraient fleurs, fruits et légumes en un joyeux foisonnement végétal, le rêve de tout citadin aujourd'hui. Et ce n'était pas tout ! Un grand magazine féminin viendrait prochainement faire un reportage sur son œuvre commune avec Priscille qui, bien que n'aimant guère les journalistes, avait accepté.

Elle a déployé ses épaules.

— Alors, t'en penses ?

— La gloire ! ai-je répondu sincèrement.

Priscille m'a embrassée. Nous nous sommes installées en toute simplicité à la cuisine où, sur la table de Formica vintage, nous attendaient un jus de Pinklady et une assiette de cookies au chocolat, confectionnés ce matin à mon intention : sans gluten, sans phosphates, sans sucre et, bien sûr, sans chocolat.

— Et toi, de quoi es-tu venue nous parler ? Une surprise aussi ? a demandé Alma en se pourléchant les babines.

J'ai pris mon élan et tout débité d'un trait pour n'être pas interrompue.

Oui, moi aussi une surprise. Et même triple. Un : très attaché à la maison et redoutant qu'elle ne tombe entre des mains étrangères, Yuan avait décidé de l'acheter. Deux : également très attaché à ma personne, il m'avait demandé de l'épouser afin de pouvoir veiller sur ma santé jour et nuit. Trois : en conséquence de quoi, j'avais annulé mon voyage en Australie.

Connaît-on jamais ses plus proches ? Alors que je redoutais la réaction de Priscille devant mon changement de plan : incrédulité, colère, noirs soupçons, crise de larmes, elle s'est tout simplement jetée dans mes bras. Ainsi, je restais, elle allait pouvoir me garder un peu, nous continuerions à nous voir, quel bonheur ! Et bien sûr, elle faisait toute confiance à Yuan pour s'occuper de moi. La seule chose qui la chiffonnait : pourquoi nous marier ? Quel intérêt ?

Tandis qu'Alma, voyant Priscille dans mes bras et redoutant que je ne la lui reprenne – la gloire avec –, m'est carrément rentrée dedans.

Et les victimes de mon brutal changement de cap, y avais-je seulement pensé ? À commencer par mes frères et leur immense déception lorsqu'ils apprendraient que je ne venais plus ? Et Colomba, chargée de vendre la maison, tout son travail pour des prunes ? Et tiens, Paul ! Bien la peine qu'il se soit décarcassé pour retrouver la trace de ma famille : belle récompense ! Quant à ton Chinetoque (oh !), si tu t'imagines que ses massages remplaceront le soleil de l'Australie et la chaleur de ses océans, eh bien tu te mets le doigt dans l'œil, et jusqu'au coude. Décidément, tu ne changeras jamais, Line (tête de linotte), impossible de compter sur toi.

Pendant que Priscille, alarmée par l'état d'Alma, lui préparait une tisane calmante à la mélisse, au goût de miel,
joliment appelée « fleur à abeilles », j'ai tenté de la rassurer
en lui parlant de l'écrevisse bleue (star des décapodes) que
Garance, une amie de Claudette qui s'installait chez nous,
se proposait d'élever à L'Escale en mobilisant tout l'espace
disponible.

Mais lorsqu'on refuse d'entendre... Et, ne pouvant lui
en dire davantage sans trahir le secret de tante Marthe, j'ai
très vite filé sans demander mon reste.

Un tout petit reste d'amitié, un simple sourire de l'amie
d'enfance à l'idée de ne pas me perdre à jamais.

53

Un heureux hasard voulait que le soir même nous célébrions à L'Escale le début des travaux de l'Ecrevissarium, future entreprise de Garance.

À quoi tient une vocation ? À l'origine de la sienne, ce paisible crustacé d'eau douce, réputé pour son équilibre, qu'elle allait pêcher avec son père dans la Creuse, rivière de leur région, également peuplée de truites bondissantes, fuyant une mère aux ravageuses sautes d'humeur qui leur pourrissait la vie. Truite bondissante... calme écrevisse, tout est dit !

Deux mots de notre future pensionnaire.

Animal complet : omnivore (mangeant de tout), herbivore (tondeuse à gazon) et détrivore (éliminant ses propres détritus, contribuant ainsi au bon fonctionnement de la chaîne alimentaire), l'écrevisse dort en chemise de nuit, c'est-à-dire en changeant de couleur. Elle se sustente tôt le matin et ne remet le couvert que le soir. Ses amours se déroulent en automne lorsque le niveau de l'eau baisse et que la durée du jour diminue. Elle porte de dix à trente œufs durant trois à quatre semaines. Fait remarquable, elle est capable de garder en elle la semence du mâle jusqu'au moment où, les meilleures conditions étant réunies pour la mener à bien, elle se refertilise sans rien demander à personne.

En résumé : si le homard a été, un peu pompeusement, baptisé le « Cardinal des mers », tant de sagesse devrait valoir à l'écrevisse le nom de « Mère abbesse des rivières ».

Bien ! Toujours est-il qu'à mon retour de chez Alma, le moral dans les chaussettes, j'ai atterri dans la fête.

Elle avait lieu dans mon ex-chambre (futur bureau de Garance) dont la porte dérobée avait été déposée le matin afin de lui permettre d'accéder directement au potager où ces demoiselles bleues brouteraient leurs légumes préférés (carottes, courges, betteraves). Potager qui communiquerait avec leur habitat : une serre-aquarium reliée à la Maine.

Étaient également prévus un hôtel à insectes dont elles pourraient déguster les larves (leur viande) ainsi qu'une haie d'algues vertes qu'elles grignoteraient à leur aise pour dessert, tout en se protégeant du soleil. Pompes à air et pompes à eau compléteraient l'ensemble.

Sans doute la généreuse Priscille aurait-elle été fière d'apprendre que, pour le plan de l'Ecrevissarium, Garance s'était inspirée de l'une des esquisses qu'elle m'avait offertes pour me permettre de quitter mon foutoir (esquisse numéro 1, empiétement sur le jardin.) Il faudrait que je l'en remercie.

Nous avons sablé le champagne autour de la porte dérobée reconvertie en table basse et j'ai eu une pensée pour

Augustin. Pas sûr que cela lui aurait plu, d'autant qu'à l'écrevisse bleue il aurait certainement préféré un pavé de bœuf de même couleur.

J'ai profité de la chaude ambiance pour poser à l'héroïne de la fête la question qui me tarabustait depuis sa venue chez nous.

– Comment se fait-il que tu ne partages pas la chambre de Claudette ?

Elle a éclaté de rire.

– Mais voyons, Line, c'est pour nous prémunir contre les principaux ennemis du couple : la routine, l'encroûtement, l'habitude. Entretenir le mystère indispensable au désir.

Et les deux amies se sont enlacées sans façon.

Le bras de Yuan est venu entourer ma taille, sa main s'est égarée du côté de mon appareil vaginal, nous avons échangé un regard complice. La routine ? Pour moi, un retard de trente ans à rattraper dans l'apprentissage de l'amour. Lui, un adepte du *Kama-sutra*. Aucun souci à nous faire de ce côté-là.

Et il y a des plaisirs dont on ne se lasse pas, par exemple la joyeuse anarchie qui règne dans le réfrigérateur depuis que Priscille a libéré son étagère. En effet, Claudette l'ayant déclaré « citoyen » et même « participatif », pour reprendre le sabir à la mode chez les écolos, tout y est désormais mélangé et à la disposition de tous. Et tant pis si les « Verts » n'y retrouveraient pas leurs petits.

Bref : sombre après-midi, soirée de liesse.

*

… Et matin radieux lorsque nous avons trouvé dans notre boîte aux lettres les papiers nécessaires à la publication des bans de notre mariage.

Qui pourrait imaginer que l'union d'une modeste contribuable française avec un brillant ressortissant chinois relève du parcours du combattant ?

Entretiens de l'un et de l'autre, séparément puis ensemble, avec un fonctionnaire sourcilleux cherchant à s'assurer de la sincérité de leur démarche : depuis combien de temps vous connaissez-vous ? Dans quelles circonstances vous êtes-vous rencontrés ? Vivez-vous sous un même toit, dans une même chambre, un même lit ? Et la poésie ? Si Yuan n'avait eu quelques relations bien placées, nous y serions encore.

Passé ce premier obstacle – dossier de mariage ouvert –, c'est parti pour la chasse aux documents : extraits de naissance traduits dans les deux langues, légalisés par une autorité compétente. Justification de domicile, attestation d'hébergement, vérification tatillonne du passeport, de la carte d'identité, de séjour, bancaire, vitale, free, j'en passe. L'un dans l'autre (sans jeu de mots), des semaines de galère pour vérifier que les demandeurs ne visent pas un mariage blanc.

« Si les poissons avaient la parole »… Oui, Garance, la sage écrevisse serait en droit de donner des leçons à une administration qui, par ailleurs, vous hurle dessus si vous avez le malheur d'appeler un Noir un Noir, un Jaune un Jaune, un ballon un ballon, au secours, Claude (Lévi-Strauss) !

Quoi qu'il en soit – alléluia –, nous allons enfin pouvoir fixer la date de notre mariage et réserver les billets d'avion pour Shanghai où la mère de Yuan sortira de son écrin le diamant qui scellera nos fiançailles.

54

Dira-t-on jamais assez la complexité de l'âme humaine ? La mienne ne cesse de me surprendre. Alors qu'il m'est arrivé, et plus d'une fois, d'avoir hâte de tourner la dernière page de cette intrigante histoire, voilà que j'ai envie de m'écrier « déjà ! ». Comme pour un film à la fin heureuse que l'on ne cesse de se passer et repasser en se souvenant des moments difficiles, s'étonnant, se félicitant, de les avoir surmontés. Petits cailloux blancs de conte de fées, incrustés dans la mémoire comme autant de pas accomplis.

Je revois Colomba débarquant à L'Escale après la mort de son père, m'annonçant son intention de recourir au co-living (californien) afin de pouvoir payer les droits de succession et garder la maison. Et moi, enfermée dans des préjugés d'un autre âge, m'y opposant stupidement.

Puis ce fut Alma, m'ordonnant de vendre cette maison pour m'installer à Angers en face de son appartement. Imaginons que j'aie écouté l'amie plutôt que la fille, où en serions-nous aujourd'hui ? L'une comme l'autre végétant dans une petite vie étriquée, sans relief ni fantaisie.

Autre image mémorable : ma découverte de la porte dérobée, ma stupeur, mon indignation. Alors que cette tricherie supplémentaire serait la goutte d'acide qui me donnerait la force de faire mon deuil de mon mari et d'aller de l'avant. Merci, Augustin.

Il y eut également cette séquence peu banale où visant un veuf blindé, Colomba envisagea de m'inscrire sur un site de rencontre (haut de gamme) : « Mamounette, tu le séduis, il met sa fortune à tes pieds, tu t'installes dans son superbe appart. Plus de soucis avec tes partenaires, tu prends leur blé et tu les laisses se débrouiller. »

Sans la peur de montrer mon ventre détruit – désormais ma fierté –, qui sait si je n'aurais pas accepté le deal ? Et actuellement, plutôt que d'être dans les bras d'un maître en réflexologie plantaire, je serais entre les mains tremblantes, tachées de son, d'un vieux monsieur certes gentil et attentionné, mais ignorant tout de l'influence électromagnétique de la lune sur l'appareil reproducteur féminin.

Le film se termine toujours de la même façon pudique : deux regards se fondant dans une certitude partagée d'être enfin arrivés.

*

Arrivés ? Pouvons-nous être jamais certains de l'être ? Ne dirait-on pas que, jusqu'au dernier moment, le destin s'amuse à nous mettre des bâtons dans les roues ?

Forte du feu vert de la mairie, je m'apprêtais à convier ma fille dans un bon restaurant – la fête, c'est la fête – afin de fixer ensemble la date de mes épousailles avec Yuan, lorsqu'elle a débarqué à L'Escale, bras dessus bras dessous avec qui ? Alma.

Nul n'ignore que les deux femmes se détestent. Colomba reproche à Alma son attitude possessive à mon égard, Alma accuse Colomba d'avoir trop d'emprise sur moi (on se m'arrache).

Sur le dos de qui s'étaient-elles réconciliées ? Pas sorcier de le deviner. Sans rien montrer de mes soupçons, je leur ai proposé à boire.

— Pas avant d'avoir vidé l'abcès, a tranché Colomba.

— Un abcès ? Quel abcès ?

— Ton mariage avec Yuan, a lancé Alma.

— Une très lourde erreur, a précisé ma fille.

« Comprendre », m'a soufflé le maître à l'oreille.

Tandis que, l'œil mauvais, elles s'installaient en face de moi, je m'y suis efforcée.

Venant d'Alma, terrorisée à l'idée de me voir lui reprendre Priscille, la démarche n'avait rien d'étonnant : exit la Chine, rebonjour l'Australie. Mais pourquoi ma Colomba voulait-elle détruire mon bonheur ?

Elle s'est lancée la première.

— Les Chinois crachent par terre. Même au restaurant.

— Puisqu'on parle de restaurant, ils raffolent d'ailerons de requin dont l'odeur empeste les cuisines, a enchaîné Alma.

— Ils mangent les chiens en fondue, avec une préférence pour les saint-bernard dont la chair est particulièrement tendre, a déploré Colomba, me prenant par les sentiments.

— Ne parlons pas des chats, qu'ils appellent « petits tigres », a ajouté tristement Alma qui déteste les animaux domestiques, s'amusant à dire qu'elle a ce qu'il faut à la maison (son mari).

Face à mon absence de réaction, trop occupée à lisser mon cordon d'argent, elles ont échangé un regard gêné, genre « j'y vas-t'y – j'y vas-t'y pas ». À nouveau, Colomba y est allée.

– Sais-tu que, malgré une nouvelle loi le leur interdisant, certains mâles s'obstinent à manger les bébés en soupe – comprends les fœtus –, sous prétexte que cela augmente leurs performances sexuelles ?

– À propos de bébés, s'est indignée Alma, leurs parents n'utilisent pas de couches. Ils font directement leur petite et leur grosse commission par un trou dans leur grenouillère.

– Et, au sujet des performances sexuelles, il paraît qu'ils l'ont minuscule, a ricané Colomba.

Minuscule, minuscule... Là, je lui aurais bien répondu que la taille n'a rien à voir à l'affaire, c'est la qualité qui compte. Et que le passage en force, privilégié par certains militaires, n'est pas le meilleur moyen de procurer du plaisir à leur partenaire. Tandis que ceux à qui dame Nature a mis un trésor dans les doigts, et le Lotus bleu donné la compréhension de « toutes les beautés de la vie », ont des atouts autrement convaincants.

Mais je me suis abstenue.

Tout ayant été dit, nous nous en sommes tenues là. Je les ai raccompagnées au portail, puis je suis rentrée et me suis fait un thé câlin, un peu triste à l'idée qu'elles jugeaient 1 370 811 348 de Chinois, par ailleurs amoureux de la France, incapables de faire correctement l'amour.

55

Nous voici donc au terme de la belle aventure. Demain, nous nous envolerons pour Shanghai, Air France, first class, six heures de décalage horaire, montre Hermès pour Tao (longue vie), parfum « Champs-Élysées » de Guerlin pour Hui (bienvenue, gentillesse).

Yuan et moi avons l'intention de les convaincre de nous rendre la pareille en venant à Angers assister à notre mariage qui aura lieu le 21 novembre (présentation de la Vierge), logés à la brasserie-hôtel Marguerite d'Anjou – cinq étoiles. De nature optimiste, j'y ai déjà réservé leur chambre.

Jamais deux sans trois ? Décidé à faire mentir le dicton, jugeant que cette seconde union serait la bonne, nous avons souhaité un mariage grand tralala devant le gratin de la ville. Yuan en jaquette, nœud pap, souliers vernis. Moi, en tailleur orchidée, du grec *orchis* (« testicule »), star des fleurs et emblème de l'amour, capeline assortie, talons stiletto.

Monsieur le maire nous accueillera en personne dans le salon d'honneur de l'hôtel de ville dont, selon la coutume, la porte restera ouverte au cas où viendrait à une cinglée la drôle d'idée de s'opposer à notre mariage. N'y voyez pas une parade, j'ai l'intention, fièvre tombée, de demander à Alma d'être mon témoin. Ainsi qu'à Priscille, l'une n'allant plus sans l'autre.

C'est à la cathédrale catholique Saint-Marcel-Notre Dame que nous échangerons anneaux et consentements. Yuan (il fait tout ce que je veux) s'en est déclaré ravi. Il est vrai que chez lui, où coexistent pas moins de cinq religions, le choix aurait été plus épineux. Et là, pour témoins, je prendrai Claudette et Maxence, complices de la première heure.

Les faire-part sont commandés. Un miracle n'étant jamais à exclure, je compte en envoyer deux à l'ambassade de France à Sydney au nom de mes frères. J'aime, le soir avant de m'endormir, imaginer leur entrée fracassante dans la maison de Dieu. En bottes et chapeaux de cow-boy, ils longent lentement la travée sous les regards médusés et conquis de l'assemblée. Qui sont ces magnifiques athlètes ? Ne ressemblent-ils pas à... Mais bien sûr, le portrait de leur père, mêmes yeux bleus, même allure fière. Colomba n'a pas tout à fait tort lorsqu'elle m'accuse d'avoir un peu trop tendance à affabuler. Mais il est de si belles fables, n'est-ce pas, mon Paul ?

Nous tenons à ce que le grand raout qui suivra ait lieu à L'Escale où des tentes seront dressées qui descendront jusqu'à la rivière. Les dîneurs de L'Embellie n'auront qu'à bien se tenir.

Lorsque j'ai annoncé à Thomas mon mariage avec Yuan, il n'a pas semblé étonné : il avait, m'a-t-il confié, flairé

296

le complot. J'ai appris à cette occasion que le mandarin – langue officielle de la République populaire de Chine – était enseigné à l'université Pascal-Paoli de Bastia. L'empire du Milieu se mêlant au célèbre « Milieu » corse... Il n'y a pas de hasard. Le « martyr » a promis de venir assister à la noce, si toutefois Dieu lui prêtait vie. Je compte sur Charles, mon vaillant petit-fils, pour suivre l'affaire.

Comme je regrette que papa ne soit plus là ! J'aurais tant aimé marcher vers l'autel à son bras. Nul doute qu'il aurait été fier de mon parcours. N'en a-t-il pas été l'instigateur ? Au fond, qu'ai-je fait d'autre que de répondre – avec un peu de retard, j'en conviens – à l'ordre donné par lui à la petite fille à la fois attirée et intimidée par la vie : « Envole-toi ! »

La jolie remarque de Maxence : « Chapeau, Line, toujours à la pointe du progrès », n'en témoigne-t-elle pas ?

Récapitulons.

Un : je me marie. Révolutionnaire aujourd'hui.

Deux : avec un Asiatique. Amour sans frontières.

Trois : dix ans de moins que moi. Résolument panthère (je préfère à cougar).

Ajoutez à la liste mon tout dernier achat, la nouvelle montre connectée pour femme au foyer, qui me permettra, entre autres, de faire démarrer les machines ménagères à distance, idem pour le four, les plaques électriques et la Karma dans son garage. Une montre qui, c'est le plus beau, tient lieu d'agenda, trie les appels et vous avertit de la venue d'indésirables. Un précieux gain de temps grâce auquel je pourrai me livrer aux riches activités remises à l'honneur par la robotisation de notre société : tricot, crochet, point de croix. Un secret... j'ai également l'intention, moi qui aime tant jouer avec les mots, de m'initier à l'art de la « Lettrine ».

Vous ne connaissez pas ? Pour conclure, en voici un exemple.

*F*IN

Addendum (post-scriptum).

Il paraît que, nous venant de Californie (encore), le régime paléolithique débarque en France.

Ainsi que son nom l'indique, ses adeptes sont allés regarder dans l'assiette de nos lointains ancêtres chasseurs-cueilleurs. Ce régime se compose principalement de viande, jetée sur un feu de branchages, allumé au moyen de deux silex frottés l'un contre l'autre, de poisson dégusté vif au sortir de l'eau en mastiquant longuement les arêtes (calcium), fruits en coque, graines diverses telles que sésame, lin, sureau. Et bien sûr toutes ces baies sauvages qui colorent nos jardins : prunelle, aubépine, cynorrhodon (dite gratte-cul), en prenant soin de vérifier qu'elles ne contiennent pas de poison.

Sont bannis produits laitiers, graisses, sel, sucre, pain, toute boisson gazeuse ou alcoolisée. Il est fortement recommandé aux adeptes de ce régime d'y associer des cours de gymnastique où l'on apprend à ramper et à grimper aux arbres.

Le régime Néandertalien, variante du Paléo, propose en plus une ambiance « caverne », afin, dans l'obscurité retrouvée, de se protéger des attaques d'un monde livré aux idoles du progrès, de se prémunir contre de stériles ruminations intellectuelles, voire même philosophiques, et de copuler sans chichis ni tabous, assouvissant nos pulsions tout en perpétuant l'espèce.

Vous me direz qu'en ces temps reculés l'espérance de vie n'était que de 23 ans. Mais, avouez, quelle vie !

Composition et mise en pages
Nord Compo Villeneuve-d'Ascq

Impression réalisée par
CPI

pour le compte des Éditions Fayard
en février 2016

PAPIER À BASE DE
FIBRES CERTIFIÉES

Fayard s'engage pour
l'environnement en réduisant
l'empreinte carbone de ses livres.
Celle de cet exemplaire est de :
0,700 kg éq. CO$_2$
Rendez-vous sur
www.fayard-durable.fr

Imprimé en France
Dépôt légal : février 2016
48-1132-7/02
N° d'impression : 2021721